Avantage

1

Rosi McNab
Fabienne Barrabé

Heinemann Educational Publishers
Halley Court, Jordan Hill, Oxford OX2 8EJ
a division of Reed Educational & Professional Publishing Ltd

MELBOURNE AUCKLAND FLORENCE PRAGUE
MADRID ATHENS SINGAPORE TOKYO
SÃO PAULO CHICAGO PORTSMOUTH (NH)
MEXICO IBADAN GABORONE JOHANNESBURG
KAMPALA NAIROBI

First published 1992

96 97 98 99 14 13 12

A catalogue record is available for this book from the
British Library on request

ISBN 0 435 37401 X

Produced by **AMR** Ltd

Illustrations by Phillip Burrows, Jane Cheswright,
Jackie East, Peter Kent

Cover illustration by Chris Welch

Printed and bound in Spain by Mateu Cromo

Table des matières

Salut!

1 *Bonjour!*

Do you like adventures, journeys and quests?
Learning a new language gives you the chance to enter an exciting world
where you will be playing a master rôle.

Salut!

Bonjour!

Ça va?

Ils sont fous, ces Bretons!

Ils sont fous, ces Romains!

Oh, là, là!

Au revoir!

Ils sont fous, ces Normands!

Chut!

CAMP ROMAIN

Do you know this character?

He goes on adventures in a lot of different countries.
When he meets people who do not live or speak the way he does,
he says they are crazy.

Which word do you think means 'crazy'?
Why do you think he says that?
There are more than 3000 different languages in the world.
That makes an awful lot of crazy people!

Travaillez en groupe. (*Work in groups.*)

Make a list of all the different languages you can think of. How many languages are on your list?
Compare your list with the other groups' lists. How many have you thought of altogether?

1 Ecoute ... *(Listen ...)*   ...et répète. *(... and repeat.)*
What do you think the phrases mean?   Attention à la prononciation!

2 **a** Ecoute ... et répète: Les chiffres de l à 6

  b C'est quel chiffre? *(What number is it?)*

un	deux	trois	quatre	cinq	six

3 Jeu de dés *(Dice game)*: Travaillez en groupe.
  a C'est quel chiffre? *Take turns to throw the die and say the number.*
  b Qu'est-ce que tu dis? *(What would you say?)*

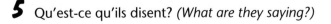

un = Salut!   deux = Bonjour!   trois = Ça va?   quatre = Ça va très bien, merci.   cinq = Bof.   six = Au revoir!

This time the person with the die says the number   Attention à la prononciation!
and the phrase that goes with that number.   Ferme le livre! *(Shut the book!)*
The others say if (s)he has got it right or not!   *Can you still remember what to say?*

> Oui, c'est vrai = *Yes, that's right*
> Non, c'est faux = *No, that's wrong*

4 Ecoute.
  a Remplis les dés. *(Fill in the dice.)*   **b** Vrai ou faux? *(True or false?)* (1–12)
                                          Do they get it right?

5 Qu'est-ce qu'ils disent? *(What are they saying?)*

Chez toi *(At home)*
Find out about a famous French person and write five things about him or her.

② Calendrier des Postes

LA POSTE

L'almanach du facteur

Janvier

1	L	Jour de l'An
2	M	Basile
3	M	Geneviève
4	J	Odilon ☾
5	V	Edouard
6	M	Melaine
7	D	Epiphanie
8	L	Lucien
9	M	Alix
10	M	Guillaume
11	J	Paulin ☺
12	V	Tatiana
13	S	Yvette
14	D	Nina
15	L	Rémi
16	M	Marcel
17	M	Roseline
18	J	Prisca ☾
19	V	Marius
20	S	Sébastien
21	D	Agnès
22	L	Vincent
23	M	Barnard
24	M	Fr. de Sales
25	J	Conv. S. Paul
26	V	Paule ●
27	S	Angèle
28	D	Th. d'Aquin
29	L	Gildas
30	M	Martine
31	M	Marcelle

Février

1	J	Ella
2	V	Présentation ☾
3	S	Blaise
4	D	Véronique
5	L	Agathe
6	M	Gaston
7	M	Eugénie
8	J	Jacqueline
9	V	Apolline ☺
10	S	Arnaud
11	D	N.-D. Lourdes ☺
12	L	Félix
13	M	Béatrice
14	M	Valentin
15	J	Claude
16	V	Julienne
17	S	Alexis ☾
18	D	Bernadette
19	L	Gabin
20	M	Aimée
21	M	P. Damien
22	J	Isabelle
23	V	Lazare
24	S	Modeste
25	D	Roméo ●
26	L	Nestor
27	M	Mardi-Gras
28	M	Cendres

Mars

1	J	Aubin
2	V	Charles le B. ☾
3	S	Guénolé
4	D	Carême ☾
5	L	Olive
6	M	Colette
7	M	Félicité
8	J	Jean de D.
9	V	Françoise
10	S	Vivien
11	D	Rosine ☺
12	L	Justine
13	M	Rodrigue
14	M	Mathilde
15	J	Louise de M.
16	V	Bénédicte
17	S	Patrice
18	D	Cyrille
19	L	Joseph ☾
20	M	PRINTEMPS
21	M	Clémence
22	J	Léa
23	V	Victorien
24	S	Cath. de Su.
25	D	Annonciation
26	L	Larissa ●
27	M	Habib
28	M	Gontran
29	J	Gwladys
30	V	Amédée
31	S	Benjamin

Avril

1	D	Hugues
2	L	Sandrine ☾
3	M	Richard
4	M	Isidore
5	J	Irène
6	V	Marcellin
7	S	J.-B. de la S.
8	D	Rameaux
9	L	Gautier
10	M	Fulbert ☺
11	M	Stanislas
12	J	Jules
13	V	Ida
14	S	Maxime
15	D	Pâques
16	L	Benoît-J.
17	M	Anicet
18	M	Parfait ☾
19	J	Emma
20	V	Odette
21	S	Anselme
22	D	Alexandre
23	L	Georges
24	M	Fidèle
25	M	Marc ●
26	J	Alida
27	V	Zita
28	S	Valérie
29	D	J. du Souv.
30	L	Robert

Mai

1	M	Fête Travail ☾
2	M	Boris
3	J	Phil., Jacq.
4	V	Sylvain
5	S	Judith
6	D	Prudence
7	L	Gisèle
8	M	Vict. 1945
9	M	Pacôme ☺
10	J	Solange
11	V	Estelle
12	S	Achille
13	D	F. J.-d'Arc
14	L	Matthias
15	M	Denise
16	M	Honoré
17	J	Pascal ☾
18	V	Eric
19	S	Yves
20	D	Bernardin
21	L	Constantin
22	M	Emile
23	M	Didier
24	J	Ascension ●
25	V	Sophie
26	S	Bérenger
27	D	F. Mères
28	L	Germain
29	M	Aymard
30	M	Ferdinand
31	J	Visitation ☾

Juin

1	V	Justin
2	S	Blandine
3	D	Pentecôte
4	L	Clotilde
5	M	Igor
6	M	Norbert
7	J	Gilbert
8	V	Médard ☺
9	S	Diane
10	D	Landry
11	L	Barnabé
12	M	Guy
13	M	Antoine de P.
14	J	Elisée
15	V	Germaine
16	S	J.-F. Régis ☾
17	D	Fête-Dieu
18	L	Léonce
19	M	Romuald
20	M	Silvère
21	J	ÉTÉ
22	V	Alban ●
23	S	Audrey
24	D	Jean-Bapt.
25	L	Prosper
26	M	Anthelme
27	M	Fernand
28	J	Irénée
29	V	Pierre, Paul ☾
30	S	Martial

Juillet

1	D	Thierry
2	L	Martinien
3	M	Thomas
4	M	Florent
5	J	Antoine
6	V	Mariette
7	S	Raoul
8	D	Thibaut ☺
9	L	Amandine
10	M	Ulrich
11	M	Benoît
12	J	Olivier
13	V	Henri, Joël
14	S	F. Nationale
15	D	Donald ☾
16	L	N.-D. Mt-Car.
17	M	Charlotte
18	M	Frédéric
19	J	Arsène
20	V	Marina
21	S	Victor
22	D	Marie-Mad. ●
23	L	Brigitte
24	M	Christine
25	M	Jacques
26	J	Anne, Joa.
27	V	Nathalie
28	S	Samson
29	D	Marthe ☾
30	L	Juliette
31	M	Ignace de L.

Août

1	M	Alphonse
2	J	Julien-Ey.
3	V	Ludie
4	S	J.-M. Vianney
5	D	Abel
6	L	Transfig. ☺
7	M	Gaétan
8	M	Dominique
9	J	Amour
10	V	Laurent
11	S	Claire
12	D	Clarisse
13	L	Hippolyte ☾
14	M	Evrard
15	M	Assomption
16	J	Armel
17	V	Hyacinthe
18	S	Hélène
19	D	Jean Eudes
20	L	Bernard ●
21	M	Christophe
22	M	Fabrice
23	J	Rose de L.
24	V	Barthélemy
25	S	Louis
26	D	Natacha
27	L	Monique
28	M	Augustin ☾
29	M	Sabine
30	J	Fiacre
31	V	Aristide

Septembre

1	S	Gilles
2	D	Ingrid
3	L	Grégoire
4	M	Rosalie
5	M	Raïssa ☺
6	J	Bertrand
7	V	Reine
8	S	Nat. N.-D.
9	D	Alain
10	L	Inès
11	M	Adelphe ☾
12	M	Apolinaire
13	J	Aimé
14	V	La Ste Croix
15	S	Roland
16	D	Edith
17	L	Renaud
18	M	Nadège
19	M	Emilie ●
20	J	Davy
21	V	Matthieu
22	S	Maurice
23	D	AUTOMNE
24	L	Thècle
25	M	Hermann
26	M	Côme, Dam.
27	J	Vinc. de P.
28	V	Venceslas
29	S	Michel
30	D	Jérôme

Octobre

1	L	Th. de l'E.-J.
2	M	Léger
3	M	Gérard
4	J	Fr. d'Ass. ☺
5	V	Fleur
6	S	Bruno
7	D	Serge
8	L	Pélagie
9	M	Denis
10	M	Ghislain
11	J	Firmin ☾
12	V	Wilfried
13	S	Géraud
14	D	Juste
15	L	Th. d'Avila
16	M	Edwige
17	M	Baudouin
18	J	Luc ●
19	V	René
20	S	Adeline
21	D	Céline
22	L	Elodie
23	M	Jean de C.
24	M	Florentin
25	J	Crépin ☾
26	V	Dimitri
27	S	Emeline
28	D	Sim. Jude
29	L	Narcisse
30	M	Bienvenue
31	M	Quentin

Novembre

1	J	Toussaint
2	V	Défunts ☺
3	S	Hubert
4	D	Charles
5	L	Sylvie
6	M	Bertille
7	M	Carine
8	J	Geoffroy
9	V	Théodore ☾
10	S	Léon
11	D	Armist. 1918
12	L	Christian
13	M	Brice
14	M	Sidoine
15	J	Albert
16	V	Marguerite
17	S	Elisabeth ●
18	D	Aude
19	L	Tanguy
20	M	Edmond
21	M	Prés. Marie
22	J	Cécile
23	V	Clément
24	S	Flora
25	D	Cath. L. ☾
26	L	Delphine
27	M	Séverin
28	M	Jacq. d.l.M.
29	J	Saturnin
30	V	André

Décembre

1	S	Florence
2	D	Avent ☺
3	L	Xavier
4	M	Barbara
5	M	Gérald
6	J	Nicolas
7	V	Ambroise
8	S	Im. Concept.
9	D	P. Fourier
10	L	Romaric
11	M	Daniel
12	M	Jeanne-F.C.
13	J	Lucie
14	V	Odile
15	S	Ninon
16	D	Alice
17	L	Gaël ●
18	M	Gatien
19	M	Urhain
20	J	Abraham
21	V	Pierre C.
22	S	HIVER
23	D	Armand
24	L	Adèle ☾
25	M	Noël ☾
26	M	Etienne
27	J	Jean
28	V	Innocents
29	S	David
30	D	Roger
31	L	Sylvestre ☺

1 Comment t'appelles-tu?

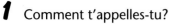

a Ecoute bien la prononciation. (1–16)
What do you notice about the pronunciation of these names?

b Ecoute ... et répète.

2 a Travaillez en groupe:
Noms de garçons ou noms de filles? *(Boys' names or girls' names?)*

garçons	filles
Richard	Cécile

b Ecoute et vérifie. *(Listen and check.)*

3 a A ton tour! *(Your turn!)*

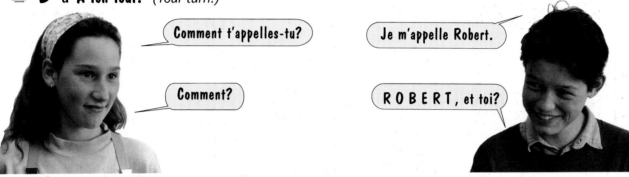

Comment t'appelles-tu?

Je m'appelle Robert.

Comment?

ROBERT, et toi?

b Comment s'appellent tes copains? *(What are your friends called?)*
Do you know what everybody in your class is called? Go and ask them.

4 Ecoute: Comment s'appellent-ils? (1– 8)

5 Les jours de la semaine *(The days of the week)*
Regarde le calendrier. *(Look at the calendar.)*

a Ecoute et répète.

b Ecoute: C'est quel jour? (1–7)

6 Travaille avec un(e) partenaire. *(Work with a partner.)*

La Saint-Marc, c'est quel jour?

...
La Sainte-Cécile, c'est quel jour?

Chez toi
Mets les jours dans le bon ordre. *(Put the days in the correct order.)*

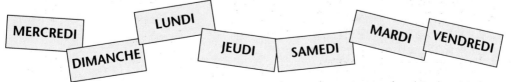

MERCREDI LUNDI JEUDI SAMEDI MARDI VENDREDI
DIMANCHE

3 *Ici on parle français.*

France et pays francophones
(France and French-speaking countries)

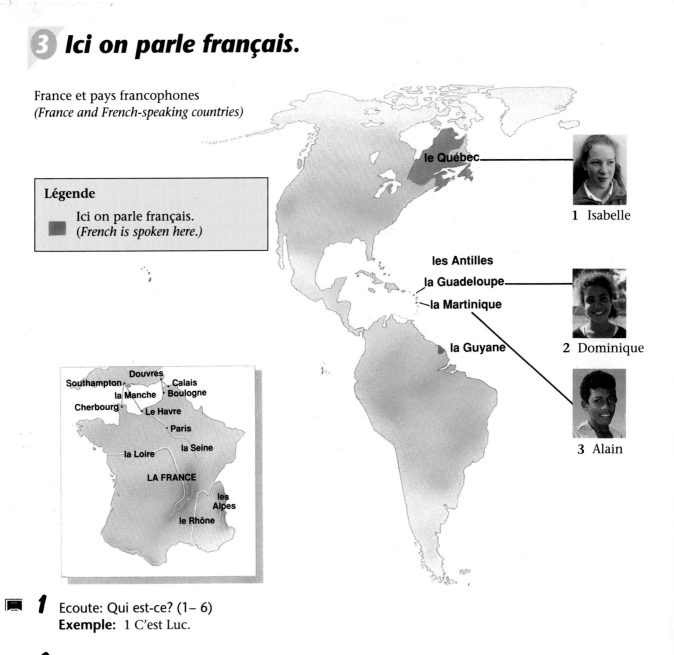

Légende

Ici on parle français.
(French is spoken here.)

1 Isabelle

2 Dominique

3 Alain

1 Ecoute: Qui est-ce? (1– 6)
Exemple: 1 C'est Luc.

2 Pays francophones

a Travaille avec un(e) partenaire. Ferme le livre. Ecris une liste *(Write a list)*:
Ici on parle français ...

b Remplis les blancs.

c Ecoute et vérifie. *(Listen and check.)*

3 Travaillez en groupe.

What do you already know about France or any other countries where French is spoken?
Is France bigger or smaller than your country?
Do you think you would like to visit France? Why?
How can you get to France from where you live?
Is France an island?
Which European countries have a common border with France?

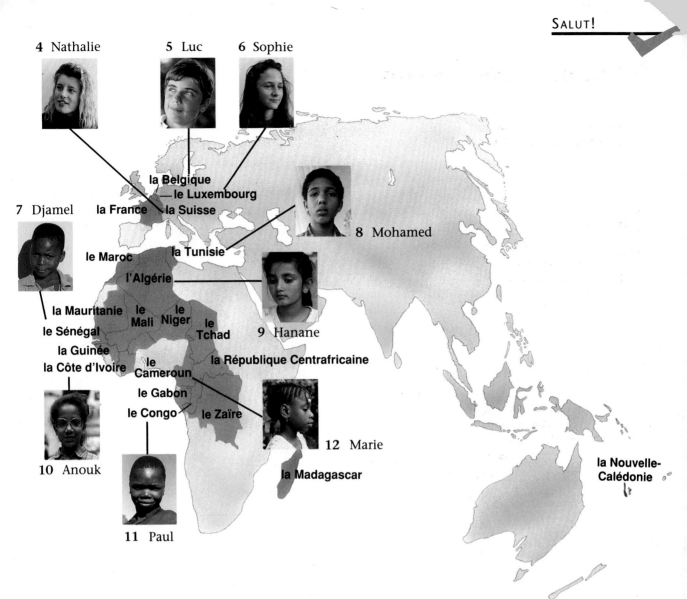

4 Nathalie

5 Luc

6 Sophie

la Belgique
— le Luxembourg
la France — la Suisse

7 Djamel

le Maroc
l'Algérie
la Tunisie

8 Mohamed

la Mauritanie le   le
           Mali Niger le
le Sénégal   Tchad
la Guinée
la Côte d'Ivoire

9 Hanane

le
Cameroun
le Gabon
le Congo   le Zaïre

la République Centrafricaine

12 Marie

10 Anouk

la Madagascar

11 Paul

la Nouvelle-
Calédonie

4 Les instructions
What do you think **Travaille avec un(e) partenaire,**
Ecoute, Répète *and* **Vérifie** *mean?*
What other words for instructions have you already met?
What did they mean? How are you going to remember them?

5 Les nombres de 1 à 12

a Ecoute et répète.

b Ecoute et écris. (1–12)

6 Ecoute: Jeu de dés
Qui gagne? *(Who wins?)*

Chez toi
Find out five facts about one of the French-speaking countries.

9

4 *Parlez-vous franglais?*

1 Ecoute et répète. Attention à la prononciation!

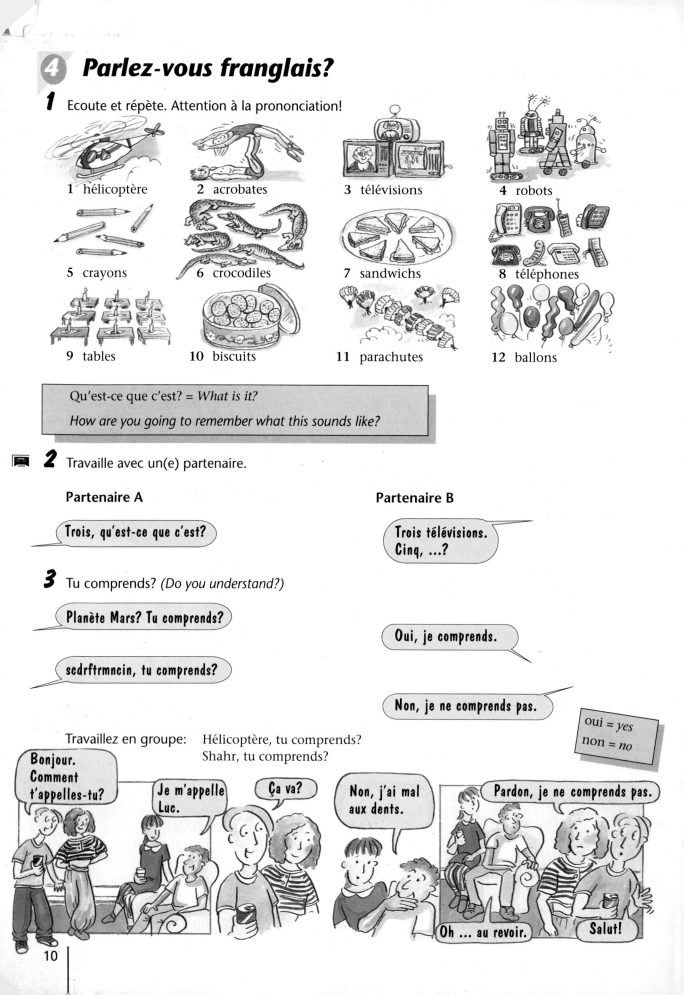

1 hélicoptère

2 acrobates

3 télévisions

4 robots

5 crayons

6 crocodiles

7 sandwichs

8 téléphones

9 tables

10 biscuits

11 parachutes

12 ballons

Qu'est-ce que c'est? = *What is it?*

How are you going to remember what this sounds like?

---

2 Travaille avec un(e) partenaire.

Partenaire A

Trois, qu'est-ce que c'est?

Partenaire B

Trois télévisions. Cinq, ...?

3 Tu comprends? *(Do you understand?)*

Planète Mars? Tu comprends?

scdrftrmncin, tu comprends?

Oui, je comprends.

Non, je ne comprends pas.

oui = *yes*
non = *no*

Travaillez en groupe: Hélicoptère, tu comprends?
Shahr, tu comprends?

Bonjour. Comment t'appelles-tu?

Je m'appelle Luc.

Ça va?

Non, j'ai mal aux dents.

Pardon, je ne comprends pas.

Oh ... au revoir.

Salut!

4 Dans ma trousse il y a ...

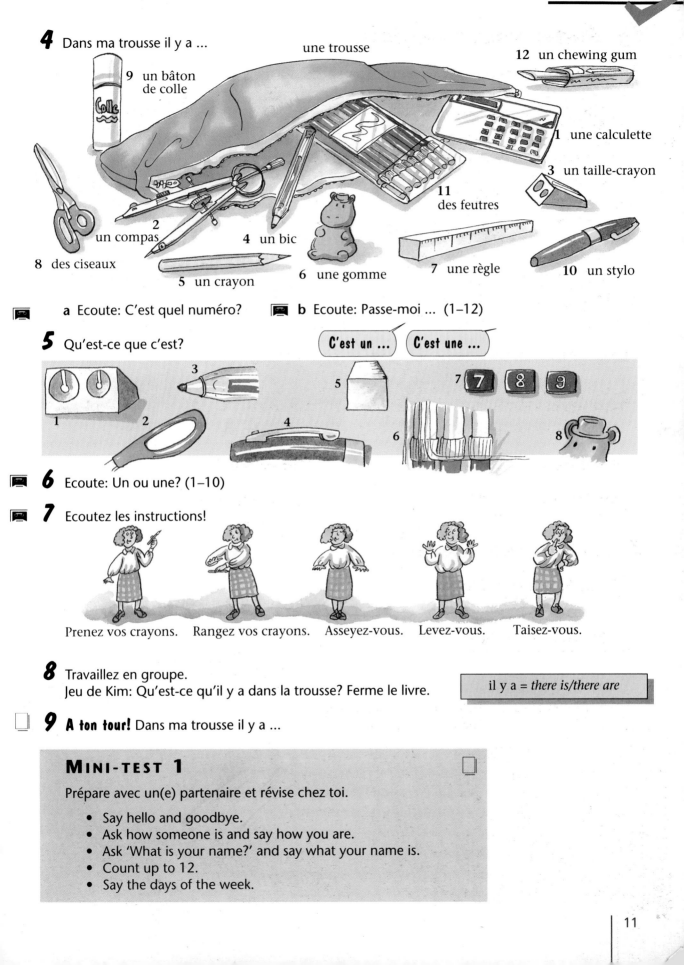

une trousse

12 un chewing gum

9 un bâton de colle

1 une calculette

3 un taille-crayon

11 des feutres

2 un compas

4 un bic

8 des ciseaux

5 un crayon

6 une gomme

7 une règle

10 un stylo

a Ecoute: C'est quel numéro?   **b** Ecoute: Passe-moi ... (1–12)

5 Qu'est-ce que c'est?

C'est un ...   C'est une ...

6 Ecoute: Un ou une? (1–10)

7 Ecoutez les instructions!

Prenez vos crayons.   Rangez vos crayons.   Asseyez-vous.   Levez-vous.   Taisez-vous.

8 Travaillez en groupe.
Jeu de Kim: Qu'est-ce qu'il y a dans la trousse? Ferme le livre.

il y a = *there is/there are*

9 **A ton tour!** Dans ma trousse il y a ...

MINI-TEST 1

Prépare avec un(e) partenaire et révise chez toi.

- Say hello and goodbye.
- Ask how someone is and say how you are.
- Ask 'What is your name?' and say what your name is.
- Count up to 12.
- Say the days of the week.

Récréation

1 Jeu des différences *(Spot the differences)*
   Exemple: Dans la chambre numéro 1, il y a un/une …

1

2

2 On chante! Ecoutez et chantez.

> *Un, deux, trois,*
> *Nous irons au bois,*
> *Quatre, cinq, six,*
> *Cueillir des cerises,*
> *Sept, huit, neuf,*
> *Dans un panier neuf,*
> *Dix, onze, douze,*
> *Des cerises toutes rouges.*

Nous irons au bois   Des cerises toutes rouges   Un panier neuf

3  Jeu-test
   What sort of learner are you? Answer for yourself and then compare your answers
   with a few friends.

1 What do you like best in the lessons?
   A playing games
   B writing words down
   C listening to the tape

2 Do you prefer working …?
   A in groups
   B with a partner
   C on your own

3 Do you want to learn French because
   it is …?
   A new
   B important to speak a foreign language
   C fun

4 When you listen to something new, can you
   concentrate better if …?
   A you close your eyes
   B you read it while you listen
   C you watch it on a video

5 How do you remember things best?
   A by writing them down
   B by getting a friend to help you learn them
   C by reading them several times

6 Do you do your homework …?
   A in silence
   B listening to music
   C watching TV

4 Cherche l'intrus! *(Find the odd one out!)*

1 lundi   jeudi   tortue
2 bonjour   crayon   gomme
3 deux   garçon   quatre

4 crocodile   éléphant   ciseaux
5 la Seine   la Loire   Paris

Ecris un 'cherche l'intrus' pour un(e) partenaire.

5 Ecoute. *Tongue-twister! Can you say it?*

Trois tortues trottaient sur trois toits très étroits.

6 *Made in France*

You are surrounded by products that have been made in other countries.
These have been made in France ...

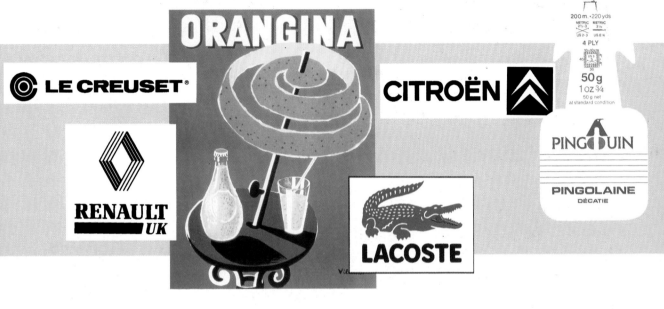

...and these have been made in Britain to sell in France:

See if you can fill in the grid below, using the French products shown above:

Produit	Nom en français	Nom en anglais	Marque
	voitures	cars	Citroën, Renault
	casseroles		
	boissons		
	vêtements		
	laine		

Look up the words you don't know.

5 Comment ça s'écrit?

1 L'alphabet

a Ecoute. Attention à la prononciation ...

a b c d e f g h i j k l m n o p q r s t u v w x y z

Ecris une liste:

a = ah, b = bay, c = ...

b ... et répète.

2 Ecoute et répète.

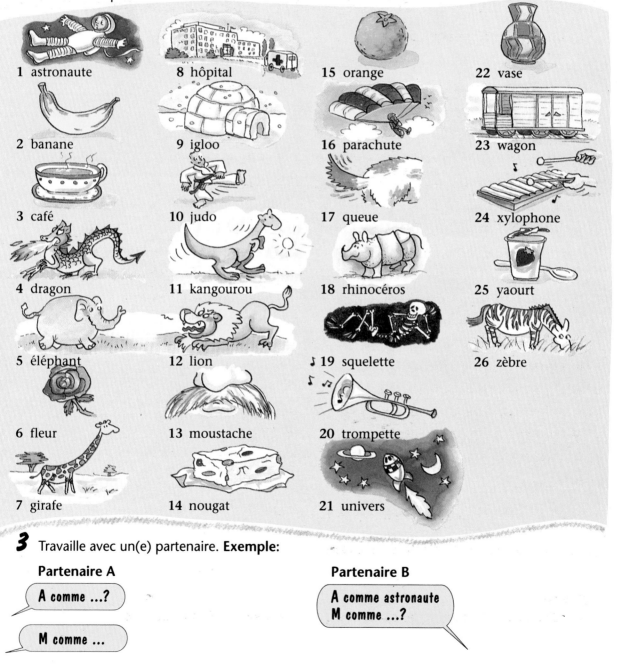

1 astronaute	8 hôpital	15 orange	22 vase
2 banane	9 igloo	16 parachute	23 wagon
3 café	10 judo	17 queue	24 xylophone
4 dragon	11 kangourou	18 rhinocéros	25 yaourt
5 éléphant	12 lion	♩ 19 squelette	26 zèbre
6 fleur	13 moustache	20 trompette	
7 girafe	14 nougat	21 univers	

3 Travaille avec un(e) partenaire. Exemple:

Partenaire A

A comme ...?

M comme ...

Partenaire B

A comme astronaute
M comme ...?

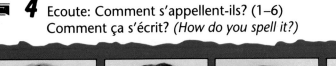

4 Ecoute: Comment s'appellent-ils? (1–6)
Comment ça s'écrit? *(How do you spell it?)*

1 2 3 4 5 6

5 **A ton tour!** Travaillez en groupe.
Exemple:

> Comment t'appelles-tu?

> Comment ça s'écrit?

> Maurice.

> **M A U R I C E**
> Et toi? ...

6 **a** Ecoute: Comment dit-on ça en anglais?
b Comment dit-on ça en français? Travaille avec un(e) partenaire.

> Comment dit-on 'yoghurt' en français?

> Comment ça s'écrit?

> Un yaourt.

> **Y A O U R T**
> Comment dit-on 'flower' en français?

> Je ne sais pas. = *I don't know.*

7 Mots codés

a = ▼   e = ●   i = ■   o = ✳   u = ◆

Exemples: tr✳◆ss● (trousse)   ●c✳◆t● (écoute)

d■x   k▼ng✳◆r✳◆   m✳◆st▼ch●

b▼n▼n●   r●gl●   y▼✳◆rt

n✳◆g▼t

8 Travaillez en groupe: Jouez au Pendu. *(Play Hangman.)*

9 Dos à dos *(Back to back)*: Comment s'appellent-ils?

Chez toi
Ecris dix mots codés pour un(e) partenaire. *(Write ten* mots codés *for a partner.)*

6 *Devine*

1 à la télé

2 à l'aéroport

3 au café

4 à la gare

5 au supermarché

6 sur l'ordinateur

7 au match de foot

8 au marché

9 en ville

10 au collège

1 Ecoute: C'est quel numéro?

Exemple: 1 C'est le numéro six.

2 **a** Lis et devine:
Mets les mois dans le bon ordre.

b Ecoute et répète.

28 SAMEDI JUIN — **14** LUNDI MARS — **6** MARDI FEVRIER — **30** JEUDI JANVIER

22 VENDREDI AVRIL — **9** DIMANCHE JUILLET — **26** MERCREDI OCTOBRE — **11** DIMANCHE MAI — **15** MARDI SEPTEMBRE — **4** SAMEDI DECEMBRE — **25** LUNDI NOVEMBRE — **3** JEUDI AOUT

dog chien CANIS Hund

Cane KUTTE собака

3 Travaillez en groupe: Lis et devine.

a Fais des recherches! *(Investigate!)*

1 Why do you think different people use different words for the same thing?
2 Which of the words for 'dog' are similar?
3 Which languages do you think they come from?
4 Do you know the word for 'dog' in any other languages?
5 Did you know that the eskimos have about 30 different words for 'white'?
  Why do you think this is?
6 What is a 'mother tongue'? What is your mother tongue?
7 How did you learn it?

b Here are some French words. What do you think they mean?

chat   maison   bateau   fleur   passeport
montagne   rivière   avion   train   gâteau

Which did you know already?
How did you work out what the others mean?
Where could you look to find out?

c Travaillez en groupe.

1 Anorak
2 Spaghetti
3 TACO
4 FETA
5 Tomahawk
6 KAYAK
7 Chapati
8 Boomerang
9 KEBAB
10 casserole

Which peoples do you think use these words?
How did you work them out?

Chez toi

Make a list of six words you use at home that come from different languages. See if you can find out where they come from.

As-tu?

1 Dans mon sac il y a ...

A une trousse

B un livre de maths

C un cahier de sciences

D un livre de géographie

E un cahier d'anglais

F un cahier de français

G un livre d'histoire

H un tablier

I un paquet de chewing gum

J une pomme

K un sandwich

L des affaires de gym

M un ticket de bus

N des tennis

O une serviette

a Ecoute et lis à haute voix. *(Listen and read aloud.)*

b Ecoute et écris: C'est à Maurice ou à Delphine?

2 A ton tour!

> Qu'est-ce qu'il y a dans ton sac?

> Dans mon sac il y a ...

3 Ecris une liste:
Qu'est-ce qu'il y a
dans le sac de Denis?

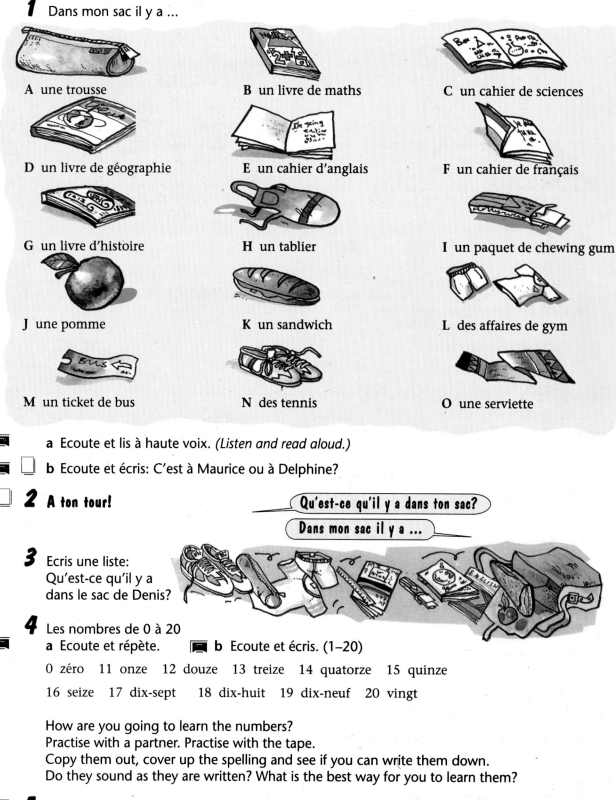

4 Les nombres de 0 à 20

a Ecoute et répète.   **b** Ecoute et écris. (1–20)

0 zéro   11 onze   12 douze   13 treize   14 quatorze   15 quinze

16 seize   17 dix-sept   18 dix-huit   19 dix-neuf   20 vingt

How are you going to learn the numbers?
Practise with a partner. Practise with the tape.
Copy them out, cover up the spelling and see if you can write them down.
Do they sound as they are written? What is the best way for you to learn them?

5 Jeux de cartes

6 Ecoute et lis.

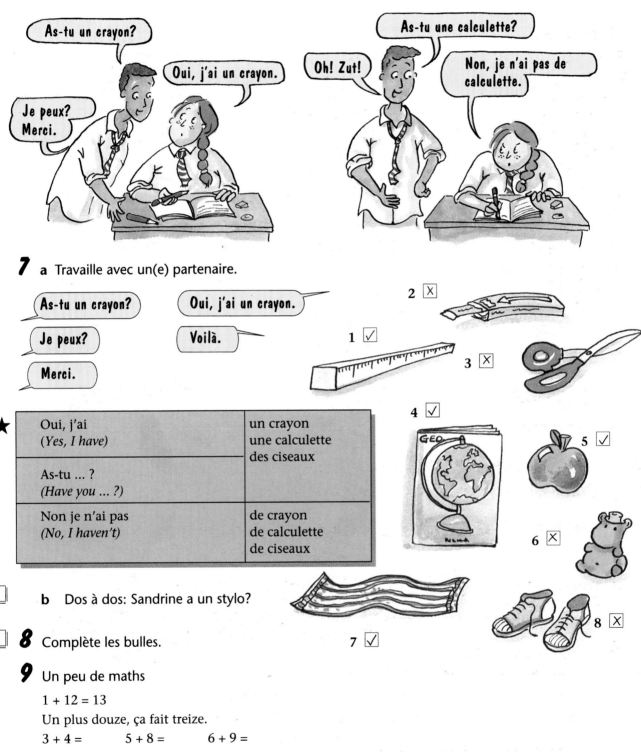

> As-tu un crayon?

> Oui, j'ai un crayon.

> Je peux? Merci.

> As-tu une calculette?

> Oh! Zut!

> Non, je n'ai pas de calculette.

7 a Travaille avec un(e) partenaire.

> As-tu un crayon?

> Oui, j'ai un crayon.

> Je peux?

> Voilà.

> Merci.

Oui, j'ai (Yes, I have)	un crayon une calculette des ciseaux
As-tu ... ? (Have you ... ?)	
Non je n'ai pas (No, I haven't)	de crayon de calculette de ciseaux

2 ☒
1 ☑
3 ☒
4 ☑
5 ☑
6 ☒
7 ☑
8 ☒

b Dos à dos: Sandrine a un stylo?

8 Complète les bulles.

9 Un peu de maths

1 + 12 = 13
Un plus douze, ça fait treize.
3 + 4 =   5 + 8 =   6 + 9 =

Prépare des additions pour un(e) partenaire.

Chez toi
Avec les nombres (UN, DEUX, etc.) fais une grille de mots cachés
pour un(e) partenaire. (*Make a numbers wordsearch for your partner.*)

8 C'est de quelle couleur?

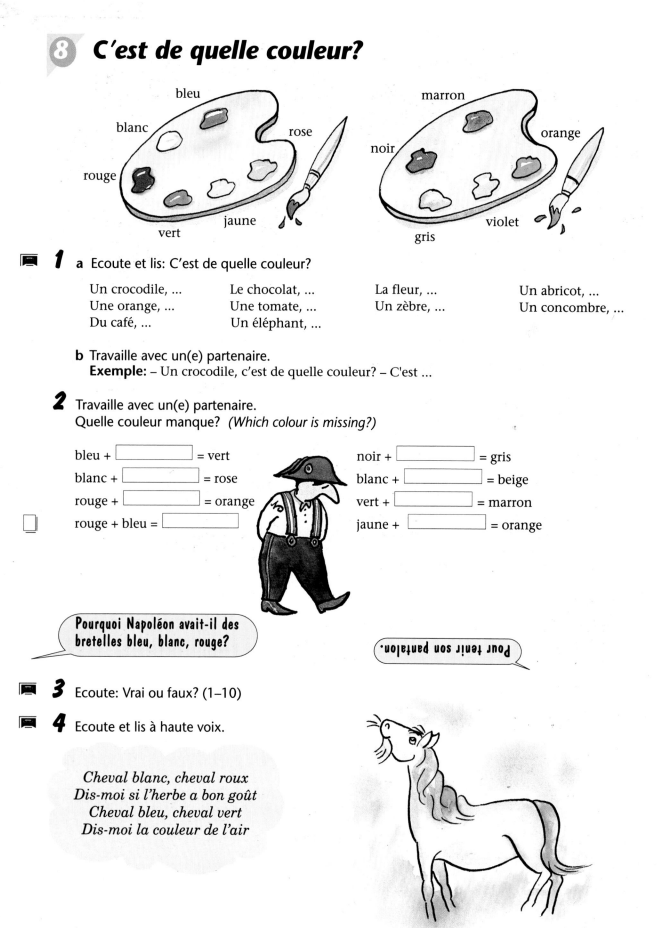

bleu
blanc
rose
rouge
jaune
vert

marron
noir
orange
violet
gris

1 a Ecoute et lis: C'est de quelle couleur?

Un crocodile, ... Le chocolat, ... La fleur, ... Un abricot, ...
Une orange, ... Une tomate, ... Un zèbre, ... Un concombre, ...
Du café, ... Un éléphant, ...

b Travaille avec un(e) partenaire.
Exemple: – Un crocodile, c'est de quelle couleur? – C'est ...

2 Travaille avec un(e) partenaire.
Quelle couleur manque? *(Which colour is missing?)*

bleu + [   ] = vert   noir + [   ] = gris

blanc + [   ] = rose   blanc + [   ] = beige

rouge + [   ] = orange   vert + [   ] = marron

rouge + bleu = [   ]   jaune + [   ] = orange

Pourquoi Napoléon avait-il des bretelles bleu, blanc, rouge?

Pour tenir son pantalon.

3 Ecoute: Vrai ou faux? (1–10)

4 Ecoute et lis à haute voix.

Cheval blanc, cheval roux
Dis-moi si l'herbe a bon goût
Cheval bleu, cheval vert
Dis-moi la couleur de l'air

A   **B**   **C**   **D**

5 **a** Ecoute: C'est le sac de qui? Guillaume, Frédéric, Coralie ou Sandrine?

b Travaille avec un(e) partenaire.

Exemple: Qu'est-ce que Guillaume a dans son sac?

J'ai	un crayon
Tu as	un bic
As-tu ... ?	une gomme
Guillaume a	une gomme

6 **a** Regarde: Trouve les différences.

un crayon bleu
un chat blanc
un livre vert
un cahier noir
un cochon rose
un cheval marron
un tee-shirt rouge

une règle bleue
une trousse blanche
une gomme verte
une moustache noire
une fleur rose
une table marron
une tomate rouge

b Colorie les dessins et complète les phrases.

7 Trouve quelqu'un qui ...

a un crayon vert   a un sac rouge
n'a pas de gomme   a une règle blanche
a un chewing gum   n'a pas de trousse, etc.

personne = *no one*

8 Dos à dos: Coloriage

MINI-TEST 2

Prépare avec un(e) partenaire et révise chez toi.

- Say what you have in your pencil case and in your schoolbag and ask someone what (s)he has in his/hers.
- Say what you haven't got and ask to borrow something.
- Ask and say what colour something is.
- Count up to 20.
- Say what day it is.

Récréation

1 Lecture rapide *(Speed reading)*

Combien de fois trouves-tu le mot pour *'red'* et *'three'*?
(How many times do you see the French words for 'red' and 'three'?)

Combien de mots d'animaux et de nombres trouves-tu?
(How many words for animals and numbers can you find?)

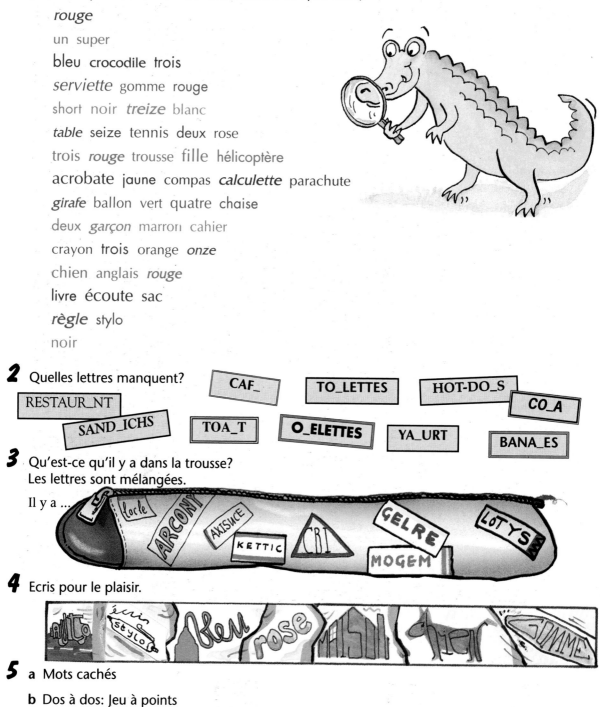

rouge

un super

bleu crocodile trois

serviette gomme rouge

short noir *treize* blanc

table seize tennis deux rose

trois *rouge* trousse fille hélicoptère

acrobate jaune compas *calculette* parachute

girafe ballon vert quatre chaise

deux *garçon* marron cahier

crayon trois orange *onze*

chien anglais *rouge*

livre écoute sac

règle stylo

noir

2 Quelles lettres manquent?

RESTAUR_NT

CAF_

TO_LETTES

HOT-DO_S

CO_A

SAND_ICHS

TOA_T

O_ELETTES

YA_URT

BANA_ES

3 Qu'est-ce qu'il y a dans la trousse?
Les lettres sont mélangées.

Il y a ...

locte

ARCONY

AXISUCE

KETTIC

CRI

GELRE

MOGEM

LOTYS

4 Ecris pour le plaisir.

écris stylo bleu rose

5 **a** Mots cachés

b Dos à dos: Jeu à points

6 Jeu de société

un **1** · deux **2** · trois **3** · quatre **4**

huit **8** · sept **7** · six **6** · cinq **5**

neuf **9** · dix **10** · onze **11** · douze **12**

seize **16** · quinze **15** · quatorze **14** · treize **13**

dix-sept **17** · dix-huit **18** · dix-neuf **19** · vingt **20**

DEPART · ARRIVEE

 un dé    des pions

Qu'est-ce que c'est?   C'est de quelle couleur?   Qu'est-ce que tu dis?

9 Au collège

EMPLOI DU TEMPS

HEURES	LUNDI	MARDI	JEUDI	VENDREDI	SAMEDI
de 9 à 10h	Salle 3 Anglais	Salle 20 Français	Salle 8 Physique	Salle 19 E.M.T.	Salle 15 Histoire
de 10 à 11h	Salle 6 Mathématiques	Salle 6 Anglais	Salle 13 Français	Salle 19 E.M.T.	Salle 1 Géographie
de 11 à 12h	Salle 11 Histoire	Salle 7 Maths	Salle 5 Anglais	Salle 20 Maths	Salle 17 Français
de 12 à 13h	Repas	Repas	Repas	Repas	
de 13 à 14h	Salle 2 Français	Salle 5 Géo	Salle 24 Maths	Salle 10 E.P.S.	
de 14 à 15h	Salle 23 Biologie	Salle 7 Histoire	Salle 18 Dessin		
de 15 à 16h	Salle 4 Géo	Salle 12 Education Civique	Salle 16 Musique	Salle 2 Géo	

aujourd'hui = *today*
EPS: Education physique et sportive
EMT: Education manuelle et technique

1 Ecoute: C'est quel jour? (1–5)

Exemple: 1 – A quatorze heures, c'est l'histoire.   – C'est le mardi.

2 Travaille avec un(e) partenaire.

a C'est quelle leçon?

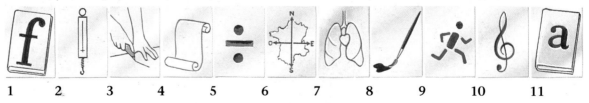

1   2   3   4   5   6   7   8   9   10   11

b Regarde l'emploi du temps de Lucie et pose des questions.
Exemple:

> Musique, c'est quel jour?

> Le jeudi.
> Anglais, le jeudi, c'est dans quelle salle?

> Salle 5.
> C'est à quelle heure?

> A onze heures.

3 a Ecoute: Les maths

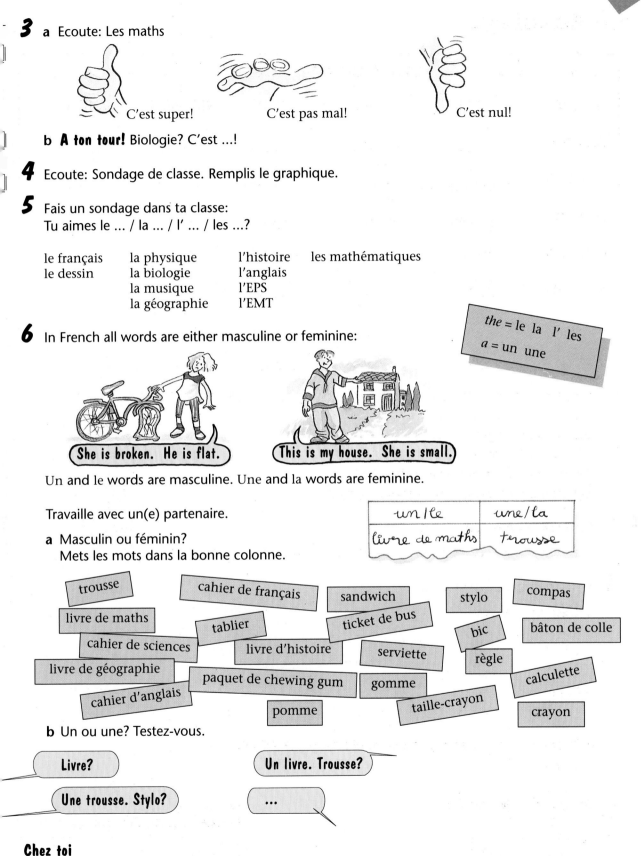

C'est super!   C'est pas mal!   C'est nul!

b **A ton tour!** Biologie? C'est ...!

4 Ecoute: Sondage de classe. Remplis le graphique.

5 Fais un sondage dans ta classe:
Tu aimes le ... / la ... / l' ... / les ...?

le français	la physique	l'histoire	les mathématiques
le dessin	la biologie	l'anglais	
	la musique	l'EPS	
	la géographie	l'EMT	

6 In French all words are either masculine or feminine:

the = le la l' les
a = un une

She is broken. He is flat.

This is my house. She is small.

Un and le words are masculine. Une and la words are feminine.

Travaille avec un(e) partenaire.

un / le	une / la
livre de maths	trousse

a Masculin ou féminin?
Mets les mots dans la bonne colonne.

trousse   cahier de français   sandwich   stylo   compas

livre de maths   tablier   ticket de bus   bic   bâton de colle

cahier de sciences   livre d'histoire   serviette   règle

livre de géographie   paquet de chewing gum   gomme   calculette

cahier d'anglais   pomme   taille-crayon   crayon

b Un ou une? Testez-vous.

Livre?

Un livre. Trousse?

Une trousse. Stylo?

...

Chez toi
Ecris ton emploi du temps.

10 Bon anniversaire!

1 Une carte à faire

2 Devine:
Qui a écrit les cartes? *(Who wrote the cards?)*
Exemple: La carte numéro un, c'est Yann.

3 a Ecoute et lis: Les nombres de 20 à 31

20 vingt	21 vingt et un	22 vingt-deux	23 vingt-trois
24 vingt-quatre	25 vingt-cinq	26 vingt-six	27 vingt-sept
28 vingt-huit	29 vingt-neuf	30 trente	31 trente et un

b Ecoute: Les résultats sportifs ... Remplis la grille.

4 a Ecoute: Quelle est la date aujourd'hui? (1–12)

b Travaille avec un(e) partenaire: Lis les dates.
Attention à la prononciation!

> le premier = *the first*

le 21 juin

le 6 octobre

le 14 mai

le 25 mars

le 18 février

Le 30 décembre

le 19 septembre

le 21 novembre

le 2 avril

le 1 Juillet

le 6 août

le 13 Janvier

5 Ecris une liste des mois dans le bon ordre.

6 Quelle est la date de ton anniversaire?

a Ecoute et écris.

b A ton tour!

> Quelle est la date de ton anniversaire?

> Mon anniversaire, c'est le ...

7 Trouve quelqu'un qui ...
Ecris une liste des mois et trouve quelqu'un pour chaque mois.

8 Mots codés: Qu'est-ce qu'il y a dans la trousse?

A 19 20 25 12 15   D 3 15 13 16 1 19

B 7 15 13 13 5   E 18 5 7 12 5

C 2 9 3   F 16 15 13 13 5

...et dans le sac? Joue avec un(e) partenaire, fais des mots codés!

9 Des formes géométriques

a Qu'est-ce que c'est? C'est de quelle couleur?

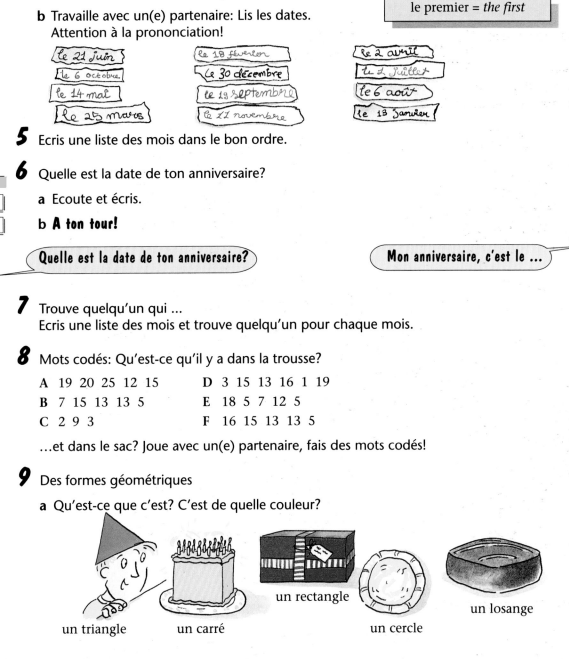

un triangle   un carré   un rectangle   un cercle   un losange

b Ecoute et dessine. (1–10)
c Travaille avec un(e) partenaire: Dos à dos
Dessine cinq formes différentes, de couleurs différentes, et décris-les.
Ton/Ta partenaire les dessine.

10 a Ecoute: Les instructions (1–15)
b Tu comprends?

Chez toi
Fais une carte d'anniversaire.

Bilan

I can ...

1	list at least four countries where French is spoken and name at least four French towns and two French rivers	La France, . . .
2	say the numbers up to 31	
3	say the alphabet and spell my name	
4	say the days of the week and the months of the year	
5	say 'hello' and 'goodbye' in French:	Bonjour! ... Au revoir!
6	say how I am and ask people how they are:	Ça va? Ça va bien, merci.
7	say what my name is and ask people theirs:	Je m'appelle ... et toi, comment t'appelles-tu?
8	ask what something is in French:	Comment dit-on ça en français?
9	ask how something is spelt:	Comment ça s'écrit?
10	say I haven't got something and ask to borrow it:	Je n'ai pas de ... Je peux?
11	ask and say what colour something is:	C'est de quelle couleur? C'est ...
12	say I don't understand:	Je ne comprends pas.

Contrôle révision

A Ecoute.
  a C'est quel numéro? (1–12)
  b C'est quelle date? (1–8)
  c C'est de quelle couleur? (1–6)
  d Je peux ...? (1–6)

B Trouve les paires: Pour chaque question choisis la bonne réponse ...

Comment t'appelles-tu?	Oui, j'ai une gomme.
Comment ça s'écrit?	Non, je n'ai pas de règle.
Ça va?	Rouge.
C'est quel jour aujourd'hui?	Eric.
As-tu une gomme?	Je ne comprends pas.
Tu manges des escargots?	E R I C
As-tu une règle?	Mardi.
Quelle est ta couleur préférée?	Bof!

... et réponds aux mêmes questions.
(*... and answer the same questions yourself.*)

C Lis la lettre.

Salut!
    Je m'appelle Nadège Hourla et j'ai douze ans. Et toi? Quel âge as-tu?
    J'habite à Rouen en France.
    J'adore la télévision surtout les films comiques. J'adore le skateboard et le roller. Ma couleur préférée, c'est le rouge. Mon jour préféré, c'est le mercredi. Mon jeu préféré, c'est le jeu de la vie.
    Mon anniversaire est le 23 mai. Et toi?
    Au revoir!
    Nadège.

P.S. Je déteste les insectes!

Explique-la à un copain/une copine: *(Explain it to a friend:)*

1 How old is Nadège?
2 Name two things she likes.
3 What is her favourite day?
4 What is her favourite colour?
5 What doesn't she like?
6 What two questions does she ask you?

D **a** Ecris le bon mot pour chaque image.

Exemple: 1 un sac

b Ecris une réponse à Nadège.

Toi et moi

1 Quel âge as-tu?

1 Ecoute: Qu'est-ce qu'ils disent?

2 Céline

3 Lucie

6 Mohamed

7 Angèle

J'ai ... ans.

J'ai ...

J'ai 11 ans.

1 Alain

4 Virginie

5 Yann

8 Maurice

2 A ton tour!

Quel âge as-tu?

Moi, j'ai ... ans.

3 Travaille avec un(e) partenaire: Donne à chaque enfant le bon âge.

1

2 15 MOIS

3 12 ANS

4 10 ANS

5 5 ANS

6 13 ANS

8 ANS

C *J'ai huit ans.*

F *J'ai treize ans.*

A *J'ai quinze mois.*

D *J'ai dix ans.*

E *J'ai douze ans.*

B *J'ai cinq ans.*

4 C'est pour quel âge?

5 Travaille avec un(e) partenaire: Jeu de Kim
Regarde bien tous les objets et ferme le livre. Qu'est-ce qu'il y a?

Chez toi
Révise les jours et les mois. Ecris la date des anniversaires de toute ta famille.

Exemples: L'anniversaire de maman, c'est le ...
L'anniversaire de papa, c'est le ...

② *Où habites-tu?*

1 Ecoute: C'est quel numéro? (1– 8)

Irlande
Dublin
Angleterre
Londres
Berlin
Bruxelles
Belgique
Paris
Allemagne
France
Italie
Madrid
Espagne
Rome
Grèce
Athènes

2 Travaille avec un(e) partenaire: Vrai, faux ou je ne sais pas?

Exemple:

> Paris, c'est en France?

> Oui, c'est vrai.
> Dublin, c'est en Belgique?

> Non, c'est faux.
> Madrid, c'est en ... ?

3 **A ton tour!** Où habites-tu? | près de = *near* |

J'habite	à ...	en ...
	près de ...	au ...
		aux ...

en Angleterre
en Ecosse
en Irlande
au Pays de Galles
en Irlande du Nord
aux Etats-Unis
en Australie
en Nouvelle-Zélande

4 a Ecoute: Où est-ce? (1– 8)

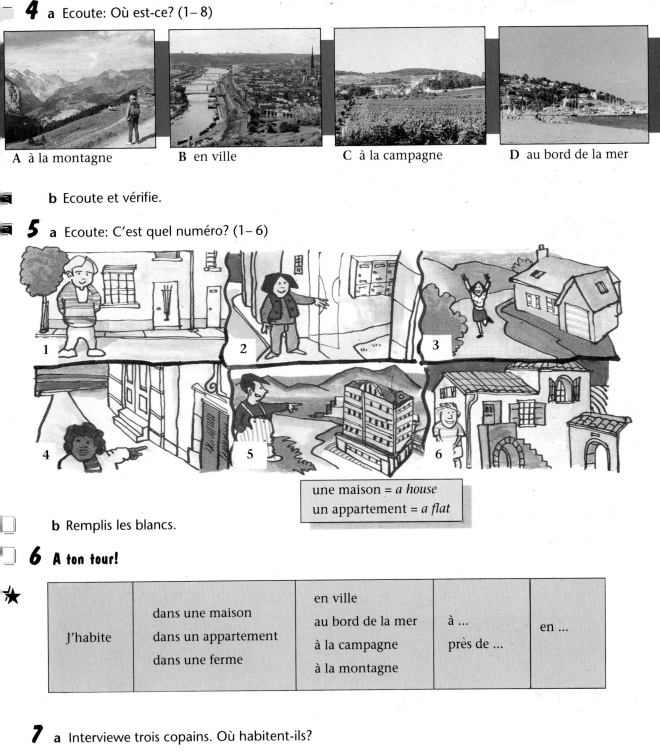

A à la montagne   B en ville   C à la campagne   D au bord de la mer

b Ecoute et vérifie.

5 a Ecoute: C'est quel numéro? (1– 6)

une maison = *a house*
un appartement = *a flat*

b Remplis les blancs.

6 A ton tour!

J'habite	dans une maison dans un appartement dans une ferme	en ville au bord de la mer à la campagne à la montagne	à ... près de ...	en ...

7 a Interviewe trois copains. Où habitent-ils?

b Dos à dos: Où habitent-ils?

c Jeux de cartes

Chez toi
Ecris une liste des pays francophones et trouve le nom des capitales dans un atlas.

3 Qu'est-ce que tu aimes?

C'est marrant!

C'est barbant!

1 Ecoute: Qu'est-ce que tu aimes? (*What do you like?*)
Pour chaque interview choisis la bonne réponse (**Exemple:** A1).

A 1 le ski
  2 la télé
  3 la bicyclette

B 1 la musique pop
  2 la musique classique
  3 la musique folk

C 1 le rouge
  2 le bleu
  3 le gris

D 1 les jeans et les sweats
  2 l'uniforme du collège
  3 les joggings

E 1 le sport
  2 les maths
  3 la géographie

F 1 les encyclopédies
  2 les B.D.
  3 les romans policiers

G 1 le Monopoly
  2 le ping-pong
  3 les échecs

H 1 les bonbons
  2 les pizzas
  3 les omelettes

2 Ecoute: Tu aimes le ski?

3 A ton tour! Qu'est-ce que tu aimes?

  a Ecris une liste.

  b Trouve quelqu'un qui aime les mêmes choses.
    (*Find someone who likes the same things.*)

Tu aimes le ping-pong?

Oui, j'aime ça, c'est super!

Non, j'aime pas ça, c'est nul!

Ah non, c'est pénible!

Bof! C'est pas mal!

Oui, c'est extra!

Oui, j'aime ça, c'est cool!

4 C'est quel sport? Et quels sports aimes-tu?

   a Trouve le nom de chaque sport. **Exemple:** Numéro 1, c'est le badminton.

le tennis
le ping-pong
le basketball
le tir à l'arc
l'escrime
le football
le badminton
le handball
le hockey
la planche à voile
l'athlétisme
la gymnastique
le cyclisme
la natation
le judo
le patin à roulettes
le patin à glace
le ski
la voile
le skate
l'escalade

   b Jeux de cartes

5 Ecoute: C'est quel sport? (1–10)

6 **a** Travaille avec un(e) partenaire: Tu aimes ça?

   b Ecoute: Quels sports aimes-tu? Et qu'est-ce que tu n'aimes pas?

7 Travaille avec un(e) partenaire.
Trouve les sports que vous aimez et que vous n'aimez pas.

MINI-TEST 3

Prépare avec un(e) partenaire et révise chez toi.

- Say where you live and ask someone where (s)he lives.
- Say how old you are and ask someone his/her age.
- Say three things you like and three things you don't like.
- Choose three sports and ask your friend if (s)he likes them.

Now revise Mini-test 1!

Récréation

1 Jeu de logique:
Dessine et colorie les figures qui manquent.

2 Ecoute et répète: Un poème

tient = *holds*	rate = *misses*
veut = *wants*	éclate = *bursts*
prend = *takes*	

LE BALLON

Julien le tient,
Mathieu le veut,
Laurent le prend.
Agathe le rate,
Paf!
Il éclate!...

3 Quiz sport

1 Un terrain de tennis mesure environ	A 24	B 20 mètres.
2 Un ballon de foot pèse environ	A 400	B 200 grammes.
3 Dans une équipe de foot il y a	A 11	B 12 joueurs.
4 Un terrain de golf a	A 15	B 18 trous.
5 Un champion de judo porte une ceinture	A noire	B mauve.
6 Un champion de ski peut atteindre une vitesse de	A 100	B 50 kph.

environ = *about*

4 La course
Quel est l'itinéraire le plus court?

a Devine.

b Mesure et vérifie.

Le but	La touche
L'arbitre	Le corner
La passe	Le penalty

5 Le foot en français
Donne à chaque dessin la bonne étiquette.

6 Mots croisés des sportifs

Bill et Boule: Bonjour!

7 Remplis les bulles.

4 Quelle sorte de personne es-tu?

1 a Ecoute et lis ... : Tu comprends?

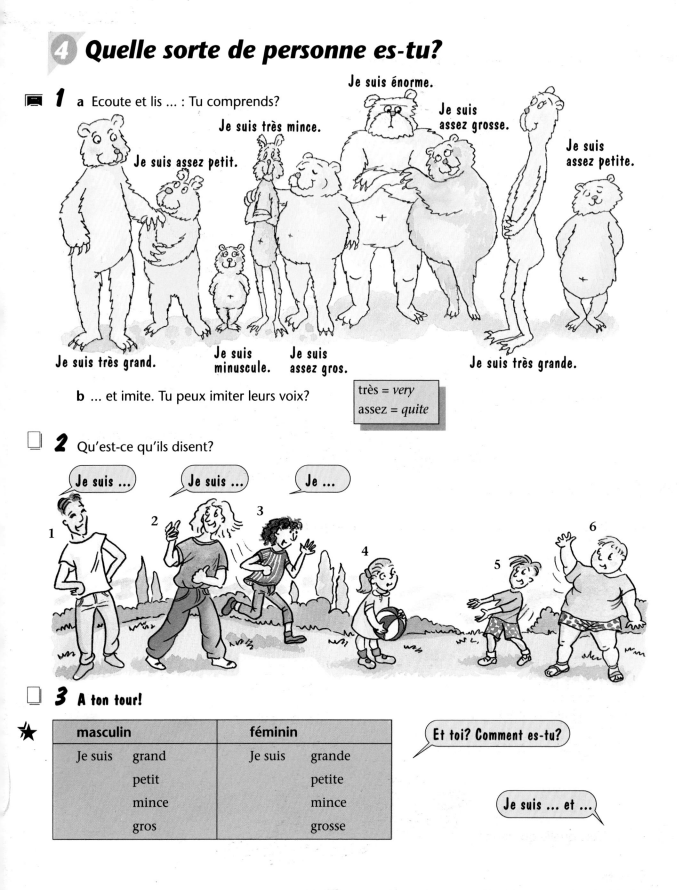

Je suis énorme.

Je suis très mince.

Je suis assez grosse.

Je suis assez petit.

Je suis assez petite.

Je suis très grand.

Je suis minuscule.

Je suis assez gros.

Je suis très grande.

b ... et imite. Tu peux imiter leurs voix?

> très = *very*
> assez = *quite*

2 Qu'est-ce qu'ils disent?

Je suis ...

Je suis ...

Je ...

3 A ton tour!

masculin		féminin	
Je suis	grand	Je suis	grande
	petit		petite
	mince		mince
	gros		grosse

Et toi? Comment es-tu?

Je suis ... et ...

4 Ecoute: Tu comprends? C'est quelle lettre?

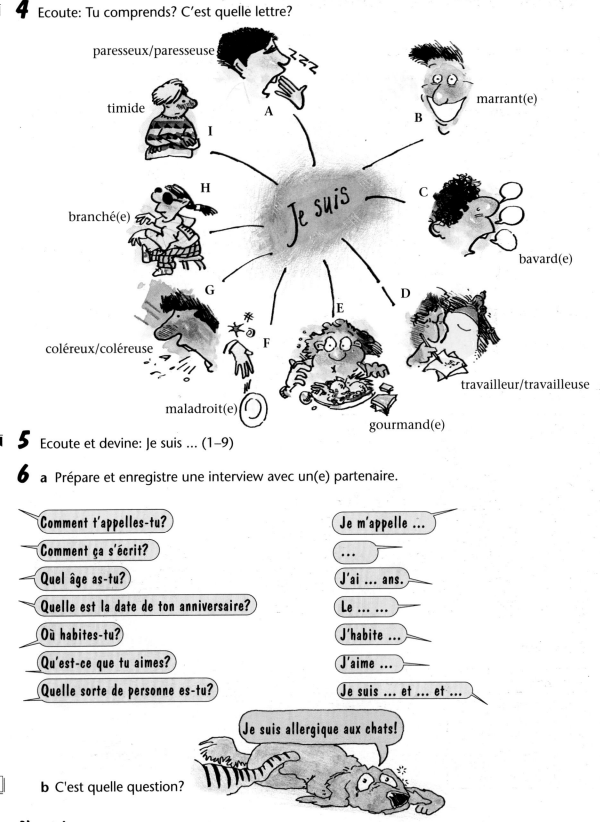

paresseux/paresseuse

timide

A

marrant(e)

B

I

H

branché(e)

Je suis

C

bavard(e)

G

D

E

coléreux/coléreuse

F

travailleur/travailleuse

maladroit(e)

gourmand(e)

5 Ecoute et devine: Je suis ... (1–9)

6 **a** Prépare et enregistre une interview avec un(e) partenaire.

- Comment t'appelles-tu?
- Comment ça s'écrit?
- Quel âge as-tu?
- Quelle est la date de ton anniversaire?
- Où habites-tu?
- Qu'est-ce que tu aimes?
- Quelle sorte de personne es-tu?

- Je m'appelle ...
- ...
- J'ai ... ans.
- Le ... ...
- J'habite ...
- J'aime ...
- Je suis ... et ... et ...

Je suis allergique aux chats!

b C'est quelle question?

Chez toi
Dans ton cahier, écris tes réponses pour l'interview (numéro 6a).

5 Quel look as-tu?

J'ai les yeux bleus   J'ai les yeux bruns   ... les cheveux longs et blonds

1 Ecoute: Qui parle?

Nadine   Thomas   Fabienne   Samuel   Marie-France   Richard

1 J'ai les yeux bleus et les cheveux roux et courts.
2 J'ai les yeux verts et les cheveux longs et blonds.
3 J'ai les yeux bruns et les cheveux mi-longs et frisés et châtains.
4 J'ai les yeux gris et les cheveux verts et longs et raides.
5 J'ai les yeux bleus et les cheveux noirs en brosse.
6 J'ai les yeux gris-verts et les cheveux blonds et courts.

2 Ecoute: C'est qui? (1–10)

3 Dos à dos: On recherche ... *(Wanted ...)*

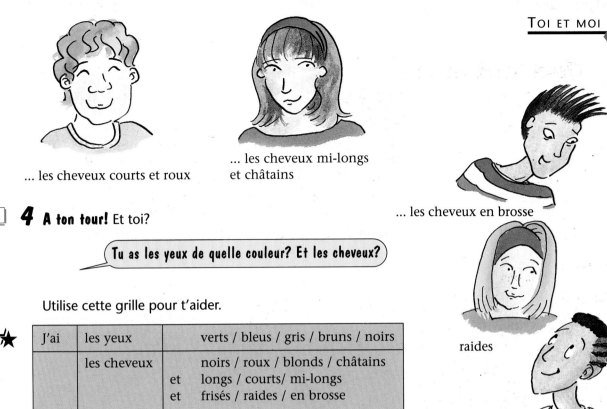

... les cheveux courts et roux

... les cheveux mi-longs et châtains

... les cheveux en brosse

4 A ton tour! Et toi?

Tu as les yeux de quelle couleur? Et les cheveux?

Utilise cette grille pour t'aider.

J'ai	les yeux		verts / bleus / gris / bruns / noirs
	les cheveux		noirs / roux / blonds / châtains
		et	longs / courts/ mi-longs
		et	frisés / raides / en brosse

raides

frisés

J'ai les yeux ...

et les cheveux ..., ... et ...

5 Ecoute: Quel chien? (1–7)

A   B   C   D

E   F   G

Chez toi

Découpe des photos dans des magazines, et écris des bulles.

Exemple: Salut! J'ai les yeux bleus et les cheveux blonds.

6 As-tu des frères et des soeurs?

1 Ecoute: Qui parle?

1 J'ai un frère qui s'appelle Claude et une soeur qui s'appelle Natacha.

2 J'ai deux frères qui s'appellent Alexandre et Marc.

3 Je suis fille unique, mais j'ai un chien qui s'appelle Bobby.

4 J'ai trois soeurs qui s'appellent Denise, Martine et Sabine. Je n'ai pas de frères.

5 J'ai une soeur qui s'appelle Laure et deux frères qui s'appellent Jérôme et Olivier.

Pierre

Nadine

André

Suzanne

Grégoire

2 Qu'est-ce qu'ils disent?

1   2   3   4   5   6

Utilise la grille pour t'aider.

J'ai	un frère, une soeur,	qui s'appelle ...
	deux frères, deux soeurs,	qui s'appellent ...
Je suis	fille fils	unique.

un demi-frère = a half-brother
une demi-soeur = a half-sister
qui s'appelle = who is called
qui s'appellent = who are called

3 A ton tour!   [Tu as des frères ou des soeurs?]

4 a Ecoute: Sondage de classe
Remplis le graphique pour la classe du collège de Darnétal ...

b ... et pour ta classe.

As-tu un animal?

5 **a** Ecoute: Tu comprends? C'est quel numéro?

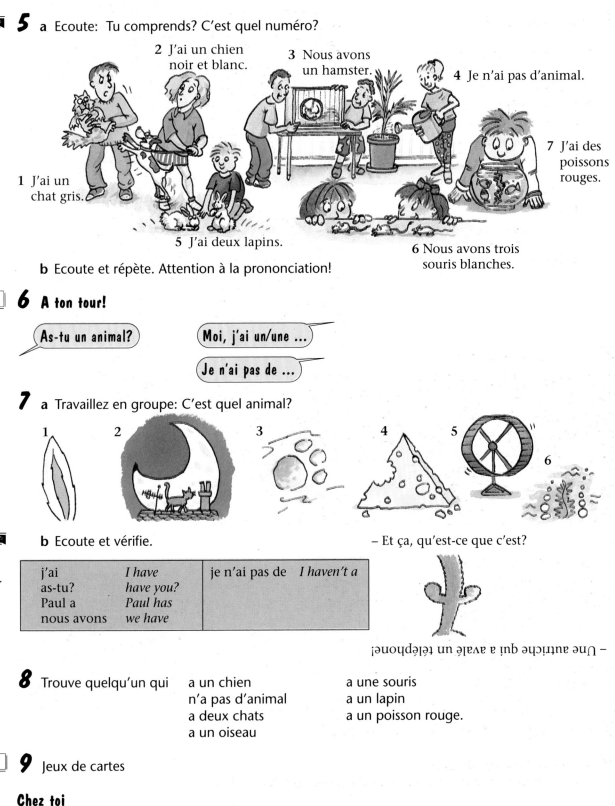

2 J'ai un chien noir et blanc.

3 Nous avons un hamster.

4 Je n'ai pas d'animal.

1 J'ai un chat gris.

7 J'ai des poissons rouges.

5 J'ai deux lapins.

6 Nous avons trois souris blanches.

b Ecoute et répète. Attention à la prononciation!

6 **A ton tour!**

As-tu un animal?

Moi, j'ai un/une …

Je n'ai pas de …

7 **a** Travaillez en groupe: C'est quel animal?

1   2   3   4   5   6

b Ecoute et vérifie.

– Et ça, qu'est-ce que c'est?

j'ai	I have	je n'ai pas de	I haven't a
as-tu?	have you?		
Paul a	Paul has		
nous avons	we have		

– Une autruche qui a avalé un téléphone!

8 Trouve quelqu'un qui   a un chien   a une souris
                            n'a pas d'animal   a un lapin
                            a deux chats   a un poisson rouge.
                            a un oiseau

9 Jeux de cartes

Chez toi
Fais une grille de mots cachés pour un(e) partenaire.

Salut! J'ai douze ans et je suis tchèque. Je cherche un(e) correspondant(e) de mon âge. Je parle français, russe et anglais. J'aime le sport et la musique.
Emeric

Bonjour! J'ai treize ans. Je cherche une correspondante anglaise. J'aime la nature, le volleyball et le piano.
Céline.
P.S. Envoyez une photo s.v.p.

Je cherche des correspondants qui parlent anglais. J'aime la gymnastique et la danse. Je suis une fan de Michael Jackson.
Sophie

Salut, je cherche un correspondant anglais qui aime les animaux. J'aime aussi l'ordinateur et la bicyclette. J'ai onze ans.
Antoine

Bonjour. J'ai treize ans. J'habite dans une ville au bord de la mer dans le sud de la France. J'aime regarder la télévision, lire et nager. Je cherche un correspondant qui parle anglais. *Julie*

J'ai douze ans. J'habite en Algérie. Je cherche un(e) correspondant(e) qui habite en Amérique. J'aime la musique, la danse moderne et la nature. **Marie.** Envoyez photo si possible.

Je m'appelle Pierre et j'habite au Canada. J'aime la bicyclette, le rugby et le dessin. Je cherche une correspondante qui habite au Maroc.

Salut. J'ai onze ans. J'aime le cross et la nature. J'habite en Normandie et je cherche un(e) correspondant(e) qui habite en Ecosse.
Laurent

envoyez = *send*	regarder = *to watch*	nager = *to swim*	un ordinateur = *a computer*

1 Vrai, faux ou je ne sais pas?

1 Julie aime nager.
2 Laurent a douze ans.
3 Sophie a un chien.
4 Pierre a onze ans.

5 Antoine aime regarder la télé.
6 Marie habite en Amérique.
7 Céline a les cheveux blonds.
8 Emeric aime la musique.

2 Lis: Tu comprends?

a Réponds aux questions de ton/ta prof.

b Trouve un(e) corres. pour toi.

3 Travaille avec un(e) partenaire: Complète la petite annonce de Smain Hind.

Nom: *Hind* Prénom: *Smain*		Frère et soeur: *1 frère*
Age: *12 ans*		Cheveux: *noirs, courts*
Adresse: *31, rue des Roses*		Yeux: *bruns*
Casablanca		Activités
Maroc		extra-scolaires: *football et natation*

Salut! J'habite à … au … et j'ai … ans. Je cherche un(e) correspondant(e) qui habite en… J'ai les yeux … et j'ai les cheveux … et … J'aime. …

4 **A ton tour!** Ecris une petite annonce pour toi.
Tu peux utiliser la machine à traitement de textes.

5 Travaillez en groupe. Vous cherchez un(e) correspondant(e):
Enregistrez sur cassette votre petite annonce.

MINI-TEST 4

Prépare avec un(e) partenaire et révise chez toi.

- Say something about your brothers and sisters.
- Ask people if they have brothers and sisters.
- Say whether you have an animal and what its name is.
- Ask people if they have an animal.
- Say what you look like and …
- what sort of person you are.

Now revise Mini-test 2!

Récréation

Connais-tu bien l'Europe?

Drapeaux

l'Allemagne

l'Irlande

la Belgique

l'Italie

le Danemark

le Luxembourg

l'Espagne

les Pays-Bas

la France

le Portugal

la Grèce

le Royaume-Uni

1 a Lis et complète.

Je parle français. La capitale de mon pays, c'est Bruxelles.
Mon drapeau est noir, jaune et rouge. J'habite en (1).

La capitale de mon pays s'appelle Athènes. Mon drapeau est blanc et bleu. J'habite en (2).

La capitale de mon pays, c'est Madrid. Mon drapeau est orange et jaune. J'habite en (3).

Mon drapeau est rouge, blanc et (4). La capitale de mon pays, c'est Paris. J'habite en (5).

b Ecoute et vérifie.

c Ecoute et devine. (1–8)

2 Travaillez en groupe: C'est quel pays?

Le drapeau bleu, blanc, rouge, c'est quel pays?

C'est la France.

La capitale, c'est Amsterdam.

C'est les Pays-Bas.

46

3 Trouve les paires.

Exemple: bonjour – au revoir

goodbye

auf Wiedersehen

adeus

farvel

au revoir

yasas

hasta luego

arrivederci

tot ziens

4 a C'est quel pays? (Mots mélangés)

DRNLEAI   KENDRAMA   ARCFEN   EQUIGBLE   UERMGBLUXO   LEANGMEAL

b Travaille avec un(e) partenaire: De quelles couleurs sont leurs drapeaux?

5 Colorie les drapeaux.

8 Correspondants à la radio

1 Ecoute.
  a Qui parle? (1–7)

1   2   3   5   6   7

  b Qui a un animal et quel animal?

  c Qui a des frères ou des soeurs?

2 Recopie dans ton cahier et remplace les images par des mots.
(Copy into your exercise book and put words in place of the pictures.)

> ni... ni... = neither... nor...
> un peu = *a little*

3 Lecture rapide: Il y a combien de jours?
Combien d'animaux et combien de nombres?

grand

samedi table

anglais **cassette** deux

chat **lundi** girafe *français*

jeudi janvier **vingt** *mince* petit

télévision mardi lapin cheveux quinze

dimanche **mars** cinq **garçon** copain

rouge matin *quatorze* bonbons

lundi gomme cheval fille

chien trente **chocolat**

bic *mercredi* dix

calculette

4 Ecoute rapide: Il y a combien de couleurs?
Combien de matières? Combien de mois?

5 Ecris pour le plaisir.

J'aime les gâteaux au chocolat.
J'aime le bleu.
J'aime les restaurants chinois.
J'aime la musique pop.
Je n'aime pas la natation.
Je n'aime pas les oignons.
Je n'aime pas les westerns.
Je n'aime pas les serpents.

Ecris ton texte comme un poème
et illustre-le.
*(Write your text like a poem and
illustrate it.)*

la musique   le rouge   les chiens
Coronation Street   les fleurs
les animaux   le tennis
mon frère   le noir   les pizzas
le cola   les maths   le parfum
le mardi   les garçons bavards
les filles gourmandes   le hockey ...

Chez toi
Tu as ...? Oui, j'ai ... Non, je n'ai pas de ...

1   2   3   4   5   6   7   8

9 Au C.E.S.

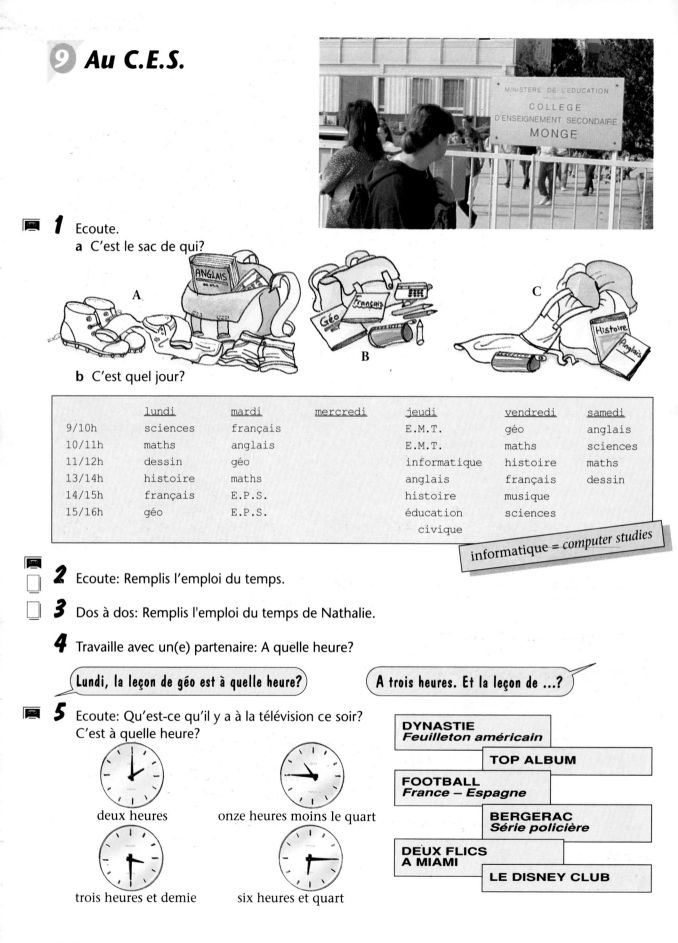

1 Ecoute.

a C'est le sac de qui?

A   B   C

b C'est quel jour?

	lundi	mardi	mercredi	jeudi	vendredi	samedi
9/10h	sciences	français		E.M.T.	géo	anglais
10/11h	maths	anglais		E.M.T.	maths	sciences
11/12h	dessin	géo		informatique	histoire	maths
13/14h	histoire	maths		anglais	français	dessin
14/15h	français	E.P.S.		histoire	musique	
15/16h	géo	E.P.S.		éducation civique	sciences	

informatique = computer studies

2 Ecoute: Remplis l'emploi du temps.

3 Dos à dos: Remplis l'emploi du temps de Nathalie.

4 Travaille avec un(e) partenaire: A quelle heure?

(Lundi, la leçon de géo est à quelle heure?)   (A trois heures. Et la leçon de ...?)

5 Ecoute: Qu'est-ce qu'il y a à la télévision ce soir?
C'est à quelle heure?

deux heures   onze heures moins le quart

trois heures et demie   six heures et quart

DYNASTIE
Feuilleton américain

TOP ALBUM

FOOTBALL
France – Espagne

BERGERAC
Série policière

**DEUX FLICS
A MIAMI**

LE DISNEY CLUB

5 M. Dubois

3 Mlle Leclerc

7 M. Legrand

1 M. Dupont

9 Mlle Boulan

10 Mme Leduc

6 Mlle Bultel

2 Mme Lefèvre

4 Mme Durand

8 Mme Grenet

6 Ecoute: Les profs (1–10)
C'est le/la prof de quoi?

Exemples: Numéro 1, M. Dupont, c'est le prof de maths.
Numéro 2, Mme Lefèvre, c'est la prof de …

7 Travaille avec un(e) partenaire.
Dans ton collège, comment s'appellent les profs?

Exemple:

Mlle	Mademoiselle	*Miss*
Mme	Madame	*Mrs*
M.	Monsieur	*Mr*

> Comment s'appelle le prof de maths?

> Il s'appelle Monsieur …
> …et la prof d'anglais?

> Elle s'appelle Madame/Mademoiselle …

8 Travaillez en groupe: Qu'est-ce qu'ils disent?

> Je suis marrant!

> Je suis grand.

Dessinez des caricatures de vos profs et donnez à chaque prof une bulle.

Chez toi
Révise les nombres de 0 à 31.

Bilan

I can ...

1 say the numbers 1–31
2 name 10 countries in Europe
3 ask when someone's birthday is and say
  when mine is:

  Quelle est la date de ton anniversaire?
  Mon anniversaire est le ...

4 ask where someone lives and say where I live:

  Où habites-tu?
  J'habite à ... en ...
  J'habite dans un(e) ... à/au/à la ...

5 ask what someone likes and say what
  I like and don't like:

  Qu'est-ce que tu aimes?
  J'aime ...
  Je n'aime pas ...

6 ask what someone is like and say what I am like:

  Quelle sorte de personne es-tu?
  Je suis très/assez ... et ...

7 ask what someone looks like and describe
  my hair and eyes:

  Quel look as-tu?
  J'ai les cheveux ... et les yeux ...

8 ask if someone has brothers and sisters
  and say if I have:

  As-tu des frères ou des soeurs?
  J'ai ...
  Je n'ai pas de ...

9 ask if someone has any pets and say if I have:

  As-tu un animal?
  Oui, j'ai ...
  Non, je n'ai pas de ...

10 ask which sports someone likes and doesn't like
   and say what I think of different sports:

   Tu aimes le tennis?
   Oui, c'est super!
   C'est pas mal.
   Non, c'est nul!

Contrôle révision

A Ecoute.

  a Quel âge ont-ils? (1– 8)
  b Où habitent-ils? (1– 5)

  c Ils ont des frères ou des soeurs? (1–5)

B Une interview

  a Trouve les paires: Choisis la bonne question pour chaque réponse ...

Maurice.	As-tu un animal?
Douze ans.	Tu aimes le football?
A Darnétal, près de Rouen.	Tu aimes les maths?
Une soeur et un frère.	Tu aimes l'histoire?
Un chien, qui s'appelle Cognac.	Où habites-tu?
Oui, j'aime le foot.	Comment t'appelles-tu?
Non, je n'aime pas l'histoire.	As-tu des frères ou des soeurs?
Oui, j'aime les maths.	Quel âge as-tu?

  ...et réponds aux mêmes questions.

  b Enregistre une interview avec un(e) partenaire.

C Lis la lettre. Explique-la à un copain/une copine.

> *Je m'appelle Ludovic. J'ai treize ans.*
> *Je suis en sixième. J'habite à*
> *Darnétal, près de Rouen.*
>
> *J'ai les cheveux courts et châtain et*
> *les yeux marron. Je suis assez grand.*
> *Je mesure un mètre cinquante. Je porte*
> *des lunettes.*
>
> *Je joue de la guitare classique. Je suis*
> *sportif. J'aime le football, le rugby et j'adore*
> *faire du skate.*
>
> *J'ai une chienne qui s'appelle Amandine.*

1 How old is Ludovic?
2 What colour is his hair?
3 What colour are his eyes?
4 How tall is he?
5 What else do you know about his appearance?
6 What does he like doing? (3)
7 Who is Amandine?
〰 8 What else do you know about how he looks?
〰 9 What else do you know about his interests?

D a Ecris: Choisis la bonne bulle.

Je suis grand.   Je suis petite.   Je suis minuscule.   J'ai les yeux bleus.   J'ai un chat.

J'ai deux frères.   J'ai les cheveux roux.   J'aime lire.   Je suis grande.

〰 b Ecris une réponse à Ludovic.

Famille et copains

1 Ma famille

1 Ecoute: Marc

a Tu comprends?

Salut. Je m'appelle Marc. J'ai onze ans. J'habite à Paris. **Mon** père s'appelle Luc et **ma** mère s'appelle Françoise. **Mon** grand-père s'appelle Albert et **ma** grand-mère s'appelle Janine. **Mon** frère s'appelle Eric et **ma** soeur s'appelle Louise. Et **mon** chien? Il s'appelle Whisky.

b Qu'est-ce qu'il dit? Complète.

1 ma ...   2 mon ...   3 mon ...   4 mon ...   5 ma ...

c Complète l'arbre généalogique.

2 Ecoute: Aline

a Tu comprends?

Bonjour. Je m'appelle Aline. J'ai douze ans. **Mon** frère s'appelle Alain et **mes** soeurs s'appellent Laurence et Martine. **Mes** parents s'appellent Damien et Marie-France. Nous habitons à Evry, près de Paris. Nous avons deux animaux, un chat qui s'appelle Félix et une tortue qui s'appelle Cunégonde.

b Qu'est-ce qu'elle dit? Complète.

1 mon ...   2 mes ...   3 mon ...   4 ma ...   5 mes ...

3 Travaille avec un(e) partenaire: Mon, ma ou mes?
Utilise la grille pour t'aider.

crayon	chien	bic
animaux	gomme	sac
livre	chats	bicyclette
crayons	trousse	lapins

★

	singulier	**pluriel**
féminin	ma mère	mes soeurs
masculin	mon père	mes frères

4 Ecoute: Qui parle?

5 Travaille avec un(e) partenaire: Vrai ou faux?

a 1 Catherine a deux soeurs.
2 Robert a un chien.
3 Emilie a trois soeurs et un frère.

4 Patrick a deux lapins et une tortue.
5 La mère de Catherine s'appelle Nicole.
6 Le père de Robert s'appelle André.

b Ecris quatre 'vrai ou faux' pour ton/ta partenaire.

6 **A ton tour!** Présente ta famille.

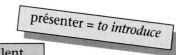

présenter = *to introduce*

mon	grand-père père frère	s'appelle ...	mes	frères soeurs parents	s'appellent ...
ma	grand-mère mère soeur				

7 Trouve les paires.

Chez toi

Fais ton arbre généalogique. Utilise des photos si possible.

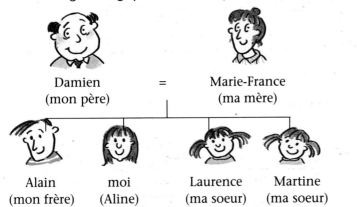

Damien
(mon père)

=

Marie-France
(ma mère)

Alain
(mon frère)

moi
(Aline)

Laurence
(ma soeur)

Martine
(ma soeur)

Je n'ai pas de ... = *I haven't got a ...*
beau-père = *step-father*
demi-frère = *half-brother*
frère jumeau = *twin brother*
belle-mère = *step-mother*
demi-soeur = *half-sister*
soeur jumelle = *twin sister*

② *Nathalie décrit sa famille*

1 Lis et écoute: Trouve la bonne image pour chaque description.

1

2

A Mon père s'appelle Arthur. Il est petit et mince. Il est très sympa. Il a les cheveux roux et courts et les yeux bleus. Il adore le football. Il est ingénieur chez Renault.

B Ma mère s'appelle Camille. Elle est grande et assez grosse. Elle porte des lunettes. Elle est très marrante. Elle a les cheveux longs et blonds. Elle a aussi les yeux bleus. Elle aime la campagne et les animaux. Elle est secrétaire médicale.

C Mon grand frère s'appelle Denis. Il a quinze ans. Il a les yeux gris et les cheveux courts et roux. Il est grand et très musclé. Il est pénible.

D Mon petit frère, qui s'appelle Dominique, a les yeux bleus et les cheveux mi-longs et blonds. Il a quatre ans et il est très gourmand.

3

4

> il aime = *he likes*
> elle aime = *she likes*

2 Travaille avec un(e) partenaire: Tu peux décrire le cousin et la cousine de Nathalie? Utilise la grille pour t'aider.

Il Elle	a	... ans les yeux ... les cheveux ...

Il Elle	est	assez très	grand(e) gros(se) petit(e) sympa pénible marrant(e) gourmand(e)

> pénible = *a pain*

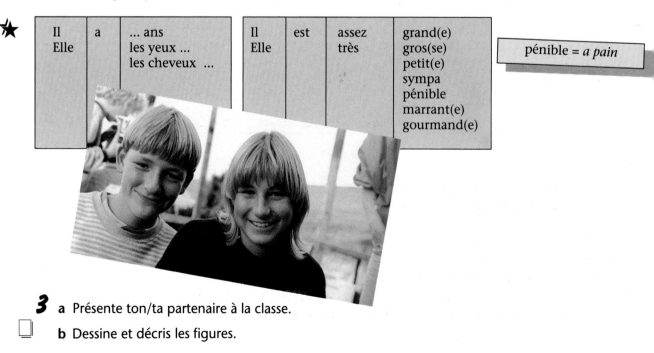

3 **a** Présente ton/ta partenaire à la classe.

   b Dessine et décris les figures.

4 Tu ressembles à qui? *(Who do you look like?)*

  a Ecoute: Qui parle? (1–6)

Séverine

Christophe

Virginie

Laurent

Michael

Nathalie

  b A ton tour!

  Toi, tu ressembles à qui?

  Mon frère a les yeux bleus, comme moi.

  Ma mère a les cheveux roux, comme moi.

5 Travaille avec un(e) partenaire: Décris un copain de Nathalie.
C'est quel copain? Ton/Ta partenaire devine.

Chez toi

Tu peux décrire ton père ou ta mère?

Mon père s'appelle ... Il est ... et ...   Ma mère s'appelle ... Elle est ... et ...
Il a les cheveux ... et ... et les yeux ...   Elle a les cheveux ... et les yeux ...

③ Quel job?

1 Ecoute: C'est quel numéro? (1–12)

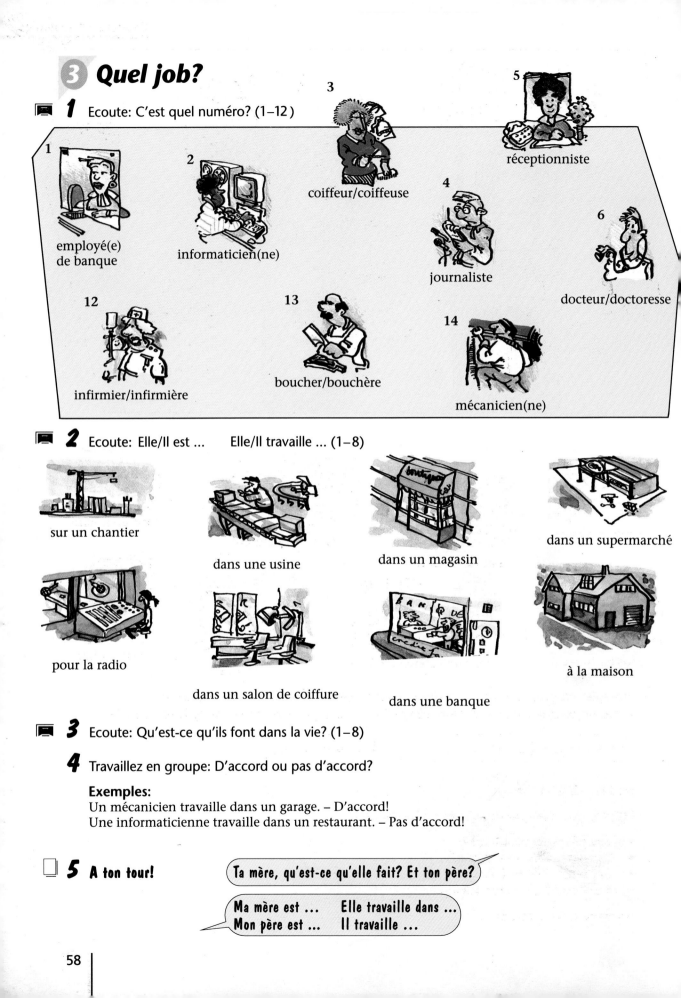

1 employé(e) de banque

2 informaticien(ne)

3 coiffeur/coiffeuse

4 journaliste

5 réceptionniste

6 docteur/doctoresse

12 infirmier/infirmière

13 boucher/bouchère

14 mécanicien(ne)

2 Ecoute: Elle/Il est ...   Elle/Il travaille ... (1–8)

sur un chantier

dans une usine

dans un magasin

dans un supermarché

pour la radio

dans un salon de coiffure

dans une banque

à la maison

3 Ecoute: Qu'est-ce qu'ils font dans la vie? (1–8)

4 Travaillez en groupe: D'accord ou pas d'accord?

Exemples:
Un mécanicien travaille dans un garage. – D'accord!
Une informaticienne travaille dans un restaurant. – Pas d'accord!

5 A ton tour!

Ta mère, qu'est-ce qu'elle fait? Et ton père?

Ma mère est ...   Elle travaille dans ...
Mon père est ...   Il travaille ...

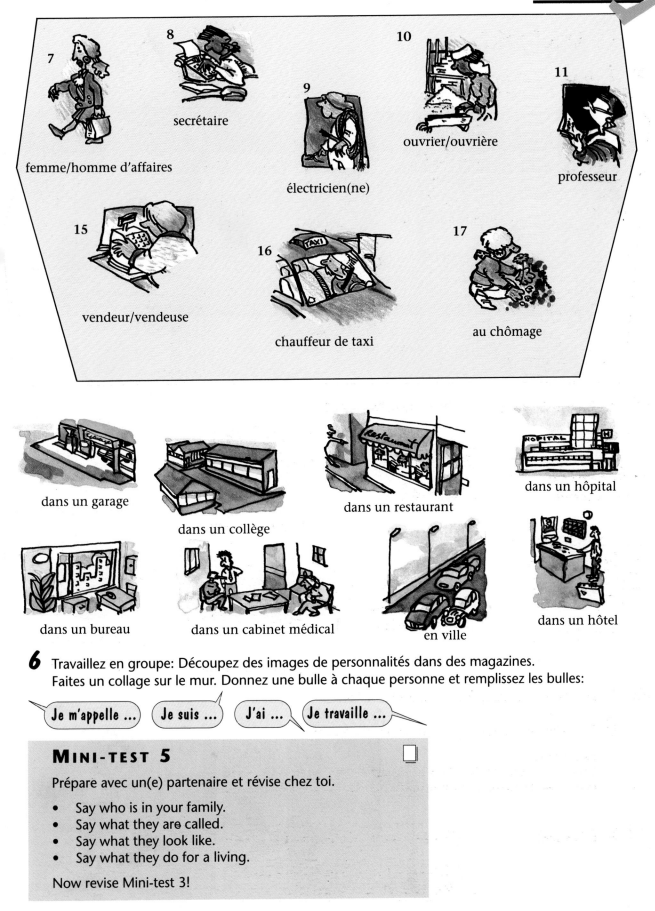

7 femme/homme d'affaires

8 secrétaire

9 électricien(ne)

10 ouvrier/ouvrière

11 professeur

15 vendeur/vendeuse

16 chauffeur de taxi

17 au chômage

dans un garage

dans un collège

dans un restaurant

dans un hôpital

dans un bureau

dans un cabinet médical

en ville

dans un hôtel

6 Travaillez en groupe: Découpez des images de personnalités dans des magazines. Faites un collage sur le mur. Donnez une bulle à chaque personne et remplissez les bulles:

Je m'appelle ...   Je suis ...   J'ai ...   Je travaille ...

MINI-TEST 5

Prépare avec un(e) partenaire et révise chez toi.

- Say who is in your family.
- Say what they are called.
- Say what they look like.
- Say what they do for a living.

Now revise Mini-test 3!

BATMAN

Remplis les bulles.

Amis à quatre pattes

1 **a** Ecoute: C'est quel animal? (1–10)

un chien   un chat   une souris   un âne   un lapin   un canard   un oiseau

une poule   un poisson   un cheval   une chèvre   une vache   un mouton   un cochon

b Ecoute et vérifie.

2 Travaille avec un(e) partenaire.
a Cache les mots et demande:

cacher = *to hide*

> Le numéro un, c'est quel animal?

> C'est un ... / C'est une ...

b > Le numéro deux, c'est un chat de quelle couleur?

> C'est un chat orange.

> Le numéro trois, c'est une souris de quelle couleur?

> C'est une souris jaune.

3 Travaillez en groupe: Ferme le livre.
Tu peux nommer combien d'animaux?

4 Casse-tête
Il y a combien d'animaux? Quels animaux?

5 a C'est quelle image? Lis et complète.

Ma chienne est un (A) noir. Elle a les yeux bruns et elle est assez grosse. Elle aime les promenades à la campagne.

Mon chien est un (B). Il est grand. Il s'appelle Itak. Il a les yeux bruns et les poils longs, bruns et noirs. Il aime chasser les lapins.

Mon (C) est assez petit. Il a les poils blancs et bouclés. Il a les yeux bleus. Il a trois ans.

J'ai un (D) noir qui s'appelle Batman. Il a les yeux verts. J'ai aussi sept (E), minuscules et grises. Batman aime mes souris!

Mon (F) est assez gros et gris et blanc. Il adore les carottes.

J'ai un (G). Il est petit et jaune. Il chante beaucoup.

1 lapin

2 caniche

3 oiseau

4 labrador

5 souris

6 chien-loup

7 chat

b Vrai ou faux?

6 Ecoute: Sondage (1–8)
Copie et remplis la grille: Nous avons quels animaux?

chat	chien	lapin	cheval	poisson	souris	autres

7 A ton tour!

Et toi, tu as un animal?
Quel animal?
Décris ton animal.

Chez toi
Fais un casse-tête et écris les réponses à l'envers sous ton dessin.
(Make a puzzle picture and write the answers upside down under your drawing.)

5 Copains et copines

1 Ecoute et complète.

Ici nous sommes dans la classe. Ça, c'est Jean-Luc avec les cheveux (1) et le pull (2). Marie-Claire est à côté. Elle a les cheveux (3) et elle porte un pull (4). Nicolas a les cheveux (5) et un sweat (6), et ça, c'est moi, Louise.

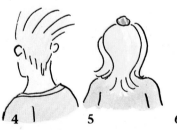

Ici, nous sommes en ville. Je suis avec Patrice et les autres. Patrice a les cheveux (7). Il porte un sweat (8) et un (9). Florence a les cheveux (10). Elle porte un pull (11) et un (12). Thomas a les cheveux (13). Il porte un sweat (14) et un pantalon (15).

nous sommes = *we are*	les autres = *the others*
à côté = *next (to him)*	un pantalon = *trousers*
porte = *is wearing*	

2 Qui est-ce, et comment sont-ils?

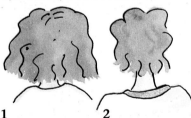  

1   2   3   4   5   6

C'est un garçon. Il est	grand	et	mince.	Il a …
	petit		gros.	
C'est une fille. Elle est	grande	et	mince.	Elle a …
	petite		grosse.	

3 Travaillez en groupe: Décrivez un copain ou une copine. Le reste du groupe devine.

> Et toi, tu as des copains?

> Euh … j'ai une copine.

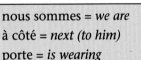

4 La boum: C'est l'anniversaire de Louise.

Le buffet					
Il Elle	mange (= is eating)	un bonbon. un biscuit. des chips. un gâteau. un sandwich. une saucisse.	Il Elle	boit (= is drinking)	un cola. une limonade. un jus d'orange.

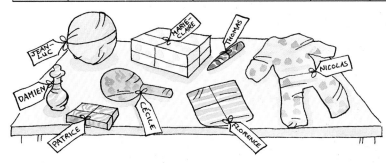

Cadeaux

une B.D.	un ballon de foot
un stylo	un jogging
des chocolats	une raquette de
une cassette	ping-pong
du parfum	

a Regarde et réponds:

1 Quel âge a Louise?

2 Quelle est la date de son anniversaire?

3 De quelle couleur est sa robe?

4 Combien de copains et copines a-t-elle?

b Ecoute: Vrai ou faux? (1–9)

Exemple: 1 Cécile mange des chips. (F)

5 Travaille avec un(e) partenaire: Tu aimes ça?

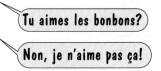

Tu aimes les bonbons?

Non, je n'aime pas ça!

Oui, j'aime ça!
Tu aimes le cola?

6 Travaille avec un(e) partenaire:
Le cadeau de Cécile, qu'est-ce que c'est?

7 Ecoute: Louise aime les cadeaux? (1–8)

Chez toi

Fais une liste de cadeaux d'anniversaire pour toute ta famille.

6 Qu'est-ce que tu aimes faire avec tes copains?

aux cartes
au foot
à l'ordinateur
jouer
au ping-pong
dehors
avec les copains

au cinéma
à la piscine
en ville
aller
à la pizzeria
chez les copains

de l'équitation
faire
des courses
des bêtises
du vélo
du judo

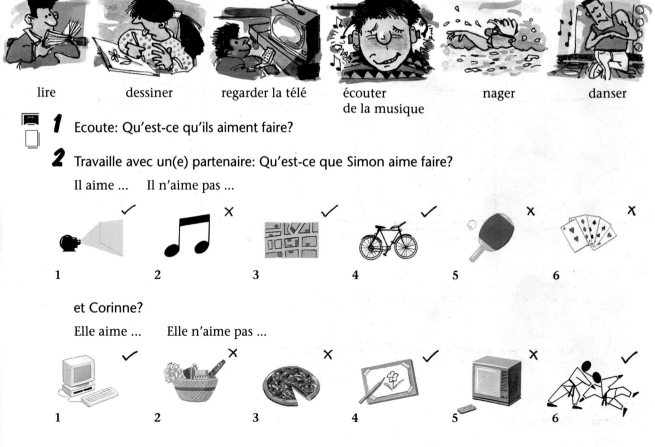

lire   dessiner   regarder la télé   écouter de la musique   nager   danser

1 Ecoute: Qu'est-ce qu'ils aiment faire?

2 Travaille avec un(e) partenaire: Qu'est-ce que Simon aime faire?

Il aime ...   Il n'aime pas ...

1 ✓   2 ✗   3 ✓   4 ✓   5 ✗   6 ✗

et Corinne?

Elle aime ...   Elle n'aime pas ...

1 ✓   2 ✗   3 ✗   4 ✓   5 ✗   6 ✓

3 **A ton tour!**

> Qu'est-ce que tu aimes faire?

> Et qu'est-ce que tu n'aimes pas faire?

> Moi, j'aime ...

> Je n'aime pas ...

4 **a** Jouez en groupe: Tous ceux qui aiment aller au cinéma, changez de place!
b Qu'est-ce qu'ils font?

5 Travaille avec un(e) partenaire: Devine ...

> Hanane, qu'est-ce qu'elle aime faire?

> Jérôme, qu'est-ce qu'il aime faire?

> Elle aime ...

> Il aime ...

Copains   Activités

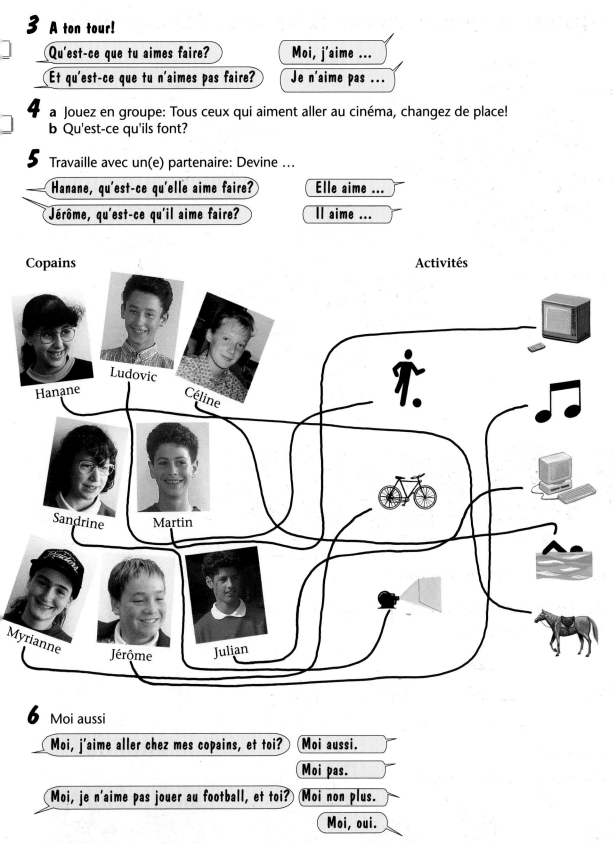

Hanane · Ludovic · Céline · Sandrine · Martin · Myrianne · Jérôme · Julian

6 Moi aussi

> Moi, j'aime aller chez mes copains, et toi?

> Moi aussi.

> Moi pas.

> Moi, je n'aime pas jouer au football, et toi?

> Moi non plus.

> Moi, oui.

Chez toi

Remplis la grille de mots.

7 Sondages

1 Trouve quelqu'un qui ... : Tu poses quelles questions?

Trouve quelqu'un qui

Tu aimes ...?
Tu es ...?
Tu as ..?

1. aime le bleu.
2. n'aime pas aller à la piscine.
3. aime danser.
4. a un frère.
5. a une gomme rose.

6. a une tortue.
7. est gourmand(e).
8. est travailleur.
9. est bavard(e).

2 Numérote de un à dix par ordre de préférence.
(Number from 1 to 10 in order of preference.)

la cantine

les chats

les maths

les devoirs

le dentiste

la famille

les cigarettes

la pollution

le collège

le sport

3 Dos à dos:
Qu'est-ce qu'ils aiment faire au collège / dans leur temps libre?

4 Je peux ...? Qu'est-ce qu'ils veulent faire?

Je peux aller à la piscine?

Je peux faire pipi?

Je peux promener le chien?

Je peux regarder la télé?

Je peux écouter la radio?

Je peux jouer au tennis?

5 Qu'est-ce qu'ils aiment faire?

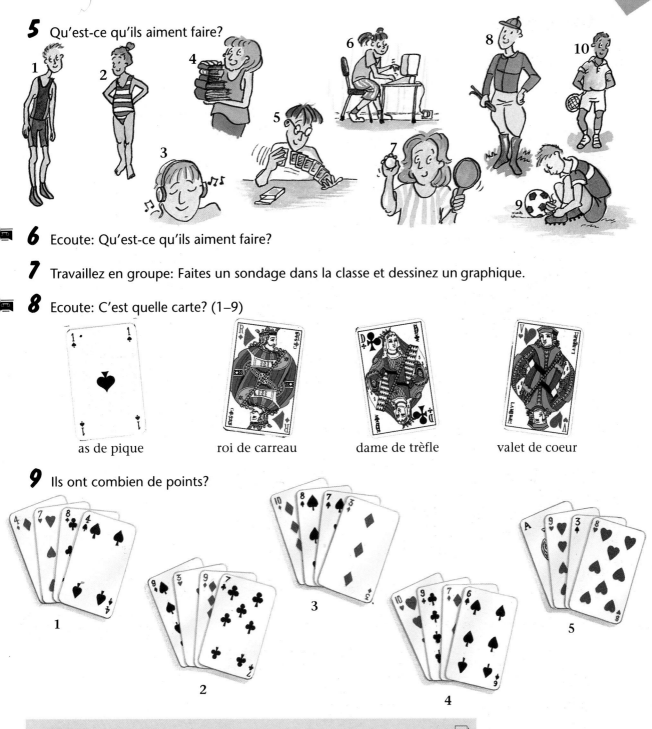

6 Ecoute: Qu'est-ce qu'ils aiment faire?

7 Travaillez en groupe: Faites un sondage dans la classe et dessinez un graphique.

8 Ecoute: C'est quelle carte? (1–9)

as de pique   roi de carreau   dame de trèfle   valet de coeur

9 Ils ont combien de points?

MINI-TEST 6

Prépare avec un(e) partenaire et révise chez toi.

- Describe your friends.
- Describe your pets.
- Say what you like doing and ask others what they like doing.
- Say what you don't like doing.

Now revise Mini-test 4!

Récréation

L'éléphant

le bout de mon nez

mon nez est très allongé

Eh oui,
dit l'éléphant,
je suis très intelligent;
mon nez est très allongé
et
je vois bien plus loin
que le bout de mon nez.

1 a Ecoute.

le nez = *nose*
je vois = *I see*
le bout = *the end*
allongé = *stretched out*
bien plus loin = *much further*

b Travaille avec un(e) partenaire:
Lisez chacun une ligne à tour de
rôle.
(Read a line each in turn.)

2 a J'ai trop mangé, mais quoi?

b Dessine un serpent qui a avalé une table, etc.
Ton/Ta partenaire devine.

3 a Mots mélangés: C'est quel animal?

VEHCAL	HEVAC	MASHTER
PLAIN	TOMUNO	INCHE
DRACAN	LOUPE	ATCH

b Prépare d'autres mots melangés pour un(e) partenaire.

4 Où habitent-ils?

Exemple: 1 J'habite dans une niche.

dans un appartement
dans un igloo
dans une niche
dans une ferme
dans une maison
dans un chalet

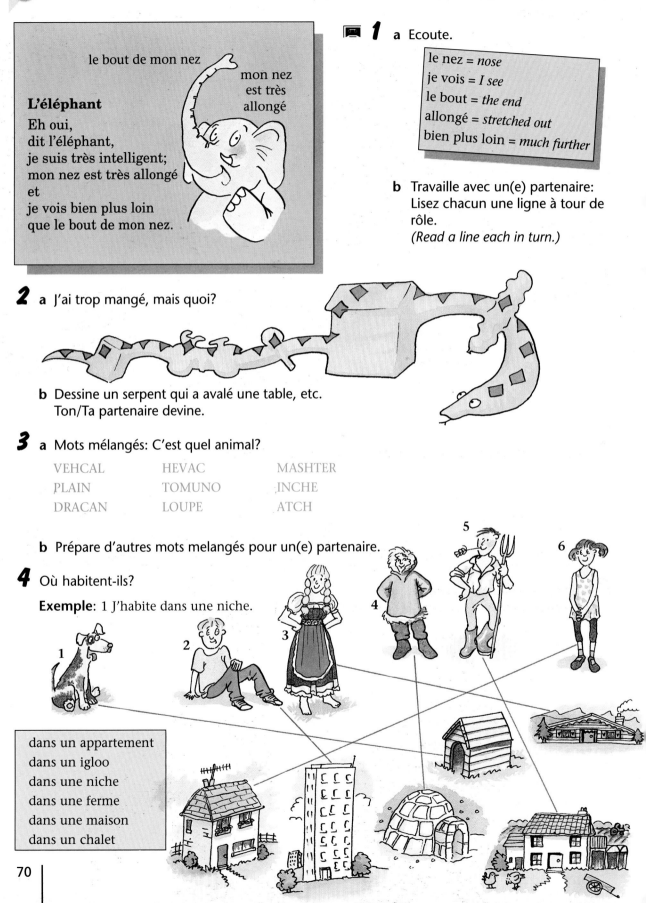

5 Trouve treize animaux. Ils sont de quelle couleur?
Ecris une liste.

6 Quiz

Quel est l'animal   le plus rapide?
le plus vieux?
le plus grand?
le plus lourd?
le plus petit?

l'homme
la girafe
le guépard
la chauve-souris
l'éléphant d'Afrique

vieux = *old*
lourd = *heavy*
chauve-souris = *bat*

7 Fais des mots avec les cubes. **Exemple:** FA + MILLE = FAMILLE

FA   TA   GAR   GIR   TROU   OIS   GRAND   FI   CHI   POR   ANI

SSE   LLE   EAU   MAL   MILLE   TE   AFE   BLE   ÇON   PERE   EN

8 Devine: Voici Antoine et Marie.
Qu'est-ce qu'ils aiment faire? Ecris deux listes.

8 Le slalom

1 Les nombres de 31 à 100

 **a** Ecoute et répète.

trente et un	trente-six	40 quarante	80 quatre-vingts
trente-deux	trente-sept	50 cinquante	81 quatre-vingt-un
trente-trois	trente-huit	60 soixante	90 quatre-vingt-dix
trente-quatre	trente-neuf	70 soixante-dix	91 quatre-vingt-onze
trente-cinq		71 soixante et onze	100 cent

b Ecoute et trouve le bon skieur. (1–12)

2 Jouez en groupe: C'est plus / C'est moins

3 Ecoute: Quel skieur gagne?

4 Un peu de maths

$3 \times 8 =$	$6 + 25 =$	$20 + 36 =$
$22 \times 3 =$	$100 - 5 =$	$60 + 15 =$
$50 + 11 =$	$4 \times 20 =$	$50 + 21 =$
$9 \times 9 =$	$6 \times 15 =$	$88 - 4 =$

plus:	+
moins:	–
multiplié par:	×

5 Dos à dos: Jeu à points

Le marathon

6 Ecoute et retrouve les copains de Gilles. (1–10)

Exemple: Le numéro 84, c'est Patrick.
Le numéro 58, c'est ...

7 Travaille avec un(e) partenaire: Décris des athlètes.
Ton/Ta partenaire devine qui c'est.

Chez toi
Choisis deux athlètes et décris-les dans ton cahier.

Exemples: Le numéro 41, il est ... Il a ...
Le numéro 35, elle est ... Elle a ...

9 Familles de mots

1 Travaillez en groupe: Classez ces mots par famille.
Combien de familles trouvez-vous? Donnez la raison de votre choix.

yes   milk   salut   da   ouaf-ouaf

autoroute

cocorico   cot-cot-codec

drinking   to drink

bonjour   moloko

grand   Milch   drinks

latte

hi-han   drink   hello

automobile

buongiorno   mince   drôle

drunk

autoportrait   autobus

ja   automatique   god morgen

bom dia

leche   si

miaou   lait

sympa   bee-bee

oui   autocollant

drank

gros

petit

travailleur

buenos días   paresseux

bizarre

2 Ecris une famille de mots en français ou en anglais.

Exemple: une gomme, un stylo, une règle ...

Protection des animaux

3 Lis pour le plaisir.

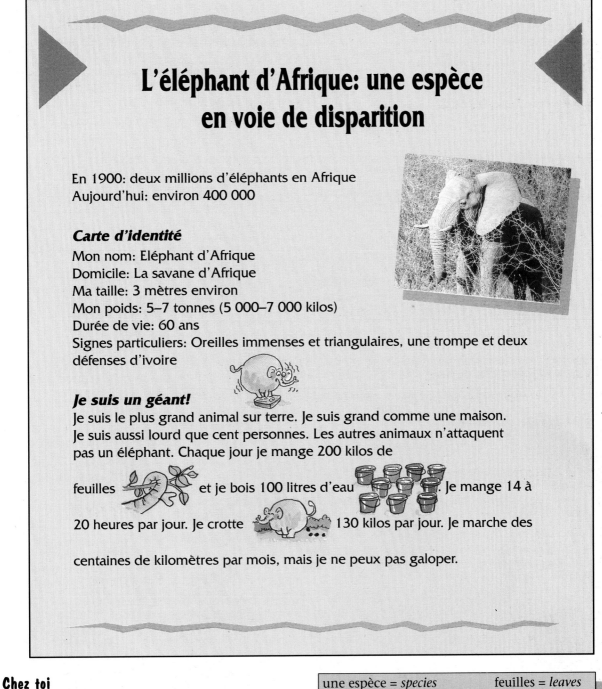

L'éléphant d'Afrique: une espèce en voie de disparition

En 1900: deux millions d'éléphants en Afrique
Aujourd'hui: environ 400 000

Carte d'identité

Mon nom: Eléphant d'Afrique
Domicile: La savane d'Afrique
Ma taille: 3 mètres environ
Mon poids: 5–7 tonnes (5 000–7 000 kilos)
Durée de vie: 60 ans
Signes particuliers: Oreilles immenses et triangulaires, une trompe et deux défenses d'ivoire

Je suis un géant!

Je suis le plus grand animal sur terre. Je suis grand comme une maison. Je suis aussi lourd que cent personnes. Les autres animaux n'attaquent pas un éléphant. Chaque jour je mange 200 kilos de feuilles et je bois 100 litres d'eau. Je mange 14 à 20 heures par jour. Je crotte 130 kilos par jour. Je marche des centaines de kilomètres par mois, mais je ne peux pas galoper.

Chez toi

Dessine un poster pour la protection des éléphants:

PROTEGEZ-MOI! JE SUIS SYMPA ...

une espèce = *species*	feuilles = *leaves*
environ = *about*	chaque = *every*
sur terre = *in the world*	mais = *but*
lourd = *heavy*	

Bilan

I can ...

1 count to 100

2 say what my parents and brothers and sisters are called:

Mon père s'appelle ...   Ma mère s'appelle ...
J'ai une soeur qui s'appelle ...   et un frère qui s'appelle ...

3 say how big or small they are and what they are like:

Il	est	assez/très	grand/petit	et	sympa.
Elle			grande/petite		pénible.

4 say what colour hair and eyes they have:

Il	a les yeux	bleus	et les cheveux	longs	blonds.
Elle		bruns		courts	châtain.
				mi-longs	roux.

5 say what job someone does and where he or she works:

Elle	est	doctoresse et	elle	travaille dans	un hôpital.
Il		coiffeur	il		un salon de coiffure.

6 ask if someone has a pet and say what pets I have:

As-tu un animal?
   Oui, j'ai un chien.
   Non, je n'ai pas d'animal.

7 talk about my friends and describe them:

Il	est ...	et	il	a ...
Elle			elle	

8 say what sort of person they are:

Il est	sympa.	Elle est	sympa.
	bavard.		bavarde.
	...		...

9 ask what someone likes doing and say what I like doing:

Qu'est-ce que tu aimes faire?
   J'aime faire du vélo.
Moi aussi./Moi pas.

Contrôle révision

A Ecoute.

   a C'est quelle image? (1–10)

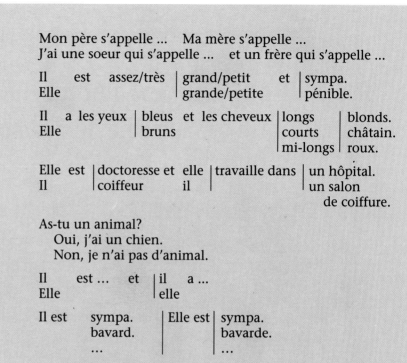

   b As-tu un animal? (1–10)
   c Qu'est-ce que tu aimes faire et qu'est-ce que tu n'aimes pas faire? (1–5)

B Prépare cette interview avec un(e) partenaire.

As-tu des frères ou des soeurs?

Comment s'appellent-ils?

Quel âge ont-ils?

Comment s'appellent ta mère et ton père?

As-tu un animal?

Peux-tu décrire un copain ou une copine?

Qu'est-ce que tu aimes faire?

Qu'est-ce que tu n'aimes pas faire?

C Lis la lettre.

Salut!

Je m'appelle Delphine. J'ai douze ans. Ma mère s'appelle Régine. Elle a quarante ans. Mon père, qui s'appelle Alain, a trente-sept ans. Ma soeur Chrystelle a onze ans.

Mon père est assez petit et mince. Il a les cheveux châtain et les yeux bruns. Il est garagiste. Ma mère travaille dans une usine près de Rouen. Elle a les cheveux courts et blonds et les yeux gris. Ma soeur est au collège avec moi. Elle est en sixième et je suis en cinquième.

Nous avons un chat Gribouille, qui aime beaucoup les souris. Ma meilleure copine s'appelle Natacha. On joue au skateboard et on s'amuse bien ensemble.

Et toi? Décris-moi un peu ta famille! Tu as des frères ou des soeurs? Comment sont tes parents? Tu as un animal? Qu'est-ce que tu aimes faire?

Delphine

a Vrai ou faux?

1 Delphine is twelve years old.
2 She is in the sixth class.
3 Her mother is called Régine.
4 She is a teacher.
5 Her father is tall.
6 He has brown hair and eyes.
7 Her sister is older than her.
8 She goes to the same school.
9 Her best friend is called Natacha.
10 They go riding together.
11 They have a dog called Gribouille and pet mice.

b Note the questions she asks you.

> on s'amuse bien ensemble = we have a good time together

D **a** Ecris un poème avec les jours de la semaine.

Exemple: Bonjour lundi
                 Ça va? mardi
                 Très bien mercredi
                 Merci jeudi
                 Au revoir vendredi.

b Ecris une réponse à Delphine.

De chez moi à la lune

1 Dans ma chambre

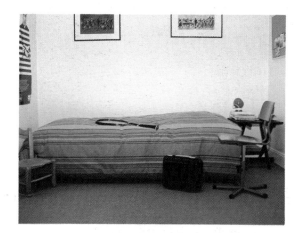

Simon

1 un lit

2 un ours en peluche

3 un bureau

4 une lampe

5 des étagères

6 des livres

7 une armoire

8 une commode

9 des rideaux

10 une chaise

11 une télévision

12 un ordinateur

13 un tapis

14 une porte

15 des posters

16 une fenêtre

17 un radio-cassette

18 une table

Valérie

1 Ecoute: Choisis la bonne description pour chaque chambre.

2 Ecoute: Remplis la grille. (1–8)

3 Travaille avec un(e) partenaire.

a (**Le numéro un, qu'est-ce que c'est?**) (**C'est un lit.**)

b (**Je pense à une chose qui commence avec...** **Qu'est-ce que c'est?**)

c Décris une chambre: ton/ta partenaire devine quelle chambre.

4 Jouez en groupe: Jeux de cartes

5 Tu comprends? Lis et complète.

J'ai une petite chambre. Je partage ma chambre avec ma soeur et mon chat et mes poissons tropicaux. Les rideaux sont verts, le tapis est jaune et les murs sont blancs. Dans ma chambre, il y a ... J'aime bien ma chambre.

> sont = *are*
> murs = *walls*

Chez toi
Ecris une liste des choses dans ta chambre: Dans ma chambre il y a ...

2 *Chez nous*

1 Ecoute: Qui est-ce?

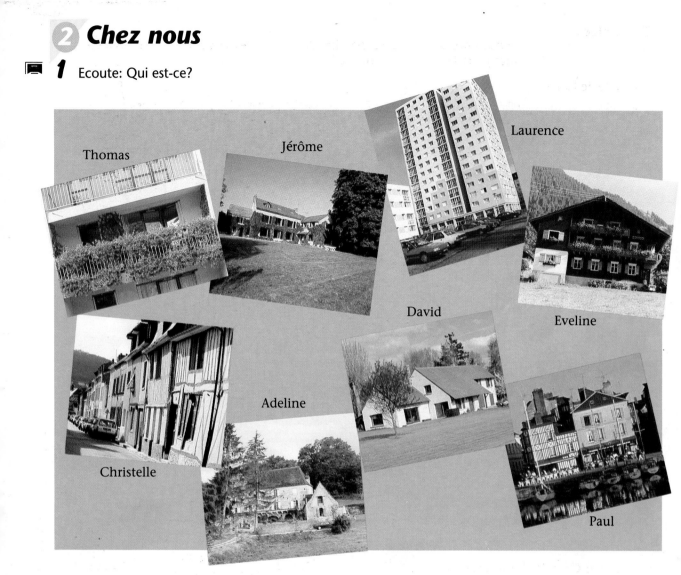

1 Nous habitons dans un appartement dans un grand immeuble.

2 J'habite dans une ferme; chez moi, c'est très calme.

3 Nous habitons dans une maison avec un grand jardin.

4 J'habite dans un appartement au bord de la mer.

5 J'habite dans un chalet à la montagne. Chez moi, c'est très confortable.

6 Nous habitons dans un appartement dans un petit immeuble. Nous avons un balcon.

7 Nous habitons dans une petite maison dans un village. Chez nous, c'est très sympa.

8 J'habite dans une grande maison moderne à la campagne.

2 Ecoute: Remplis la grille. (1–10)

3 Qui est-ce?

1 Il habite au bord de la mer.
2 Il y a un balcon chez elle.
3 Elle habite dans un grand appartement.

4 Elle habite dans une ferme.
5 Sa maison est petite.
6 Il habite dans une grande maison.

Chez Chloë

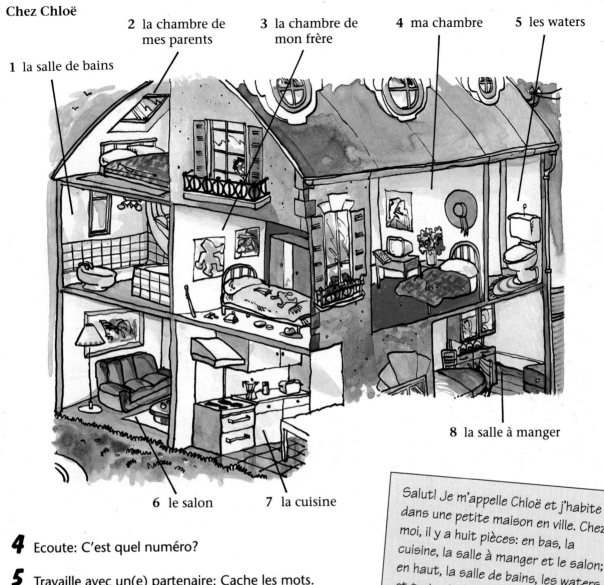

2 la chambre de mes parents

3 la chambre de mon frère

4 ma chambre

5 les waters

1 la salle de bains

8 la salle à manger

6 le salon

7 la cuisine

4 Ecoute: C'est quel numéro?

5 Travaille avec un(e) partenaire: Cache les mots.
Le numéro un, c'est quelle pièce? Et le numéro deux?
Attention à la prononciation.

6 **a** Mots mélangés

LOANS   SIENUCI   BRECHAM   LASEL A GERMAN

EASLL DE SNAIB   DINJAR   CLOBAN   WREATS

b Fais d'autres mots mélangés pour un(e) partenaire.

7 Jouez en groupe: Jeux de cartes

8 **A ton tour!** J'habite …

Chez toi
Dessine ta maison, et décris-la.

> Salut! Je m'appelle Chloë et j'habite dans une petite maison en ville. Chez moi, il y a huit pièces: en bas, la cuisine, la salle à manger et le salon; en haut, la salle de bains, les waters et trois chambres.

> la pièce = *room*
> en bas = *downstairs*
> en haut = *upstairs*

3 Un plan de mon appartement

1 Ecoute: C'est quel plan?

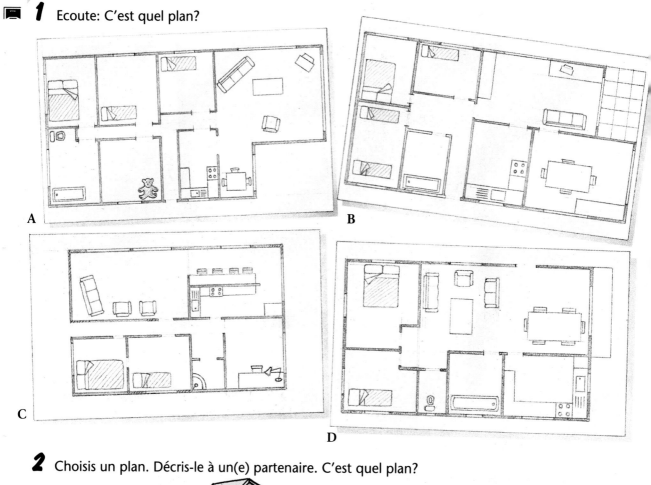

A B C D

2 Choisis un plan. Décris-le à un(e) partenaire. C'est quel plan?

3 Ecris: Remplis le plan.

> Oh! Chez moi, c'est assez petit. Il y a ... euh ... une pièce.

4 **A ton tour!** Chez toi, il y a combien de pièces? En haut? En bas? Quelles pièces?

5 Devine! C'est quelle pièce?

1 2 3 4 5 6

6 **a** Ecoute: Vrai ou faux? (1–10)

b Qu'est-ce qu'il y a ...?

1 sur l'étagère	5 dans le sac	9 sur la télévision
2 sur la table	6 dans le lit	10 sous la télévision
3 sur la chaise	7 sous la table	
4 dans l'armoire	8 sous le tapis	

7 Travaille avec un(e) partenaire: Où est le chien?

MINI-TEST 7

Prépare avec un(e) partenaire et révise chez toi.

- Say where you live and in what sort of house or flat.
- Describe your bedroom and say where things are.
- Say how many and what rooms there are in your home.

Now revise Mini-test 5!

Récréation

1 Jeu des différences: Il y a dix différences!

Exemple: Dans la chambre A, le lit est bleu.

A  B

2 Ecoute.

Dans Paris il y a une rue
dans cette rue il y a une maison
dans cette maison il y a un escalier
dans cet escalier il y a une chambre
dans cette chambre il y a une table
sur cette table il y a un tapis
sur ce tapis il y a une cage
dans cette cage il y a un nid
dans ce nid il y a un oeuf
dans cet oeuf il y a un oiseau.

3 Cherche l'intrus.

1 lit trousse armoire
2 salon chambre maison
3 escalier télévision radio
4 bleu grand blanc
5 cuisine étagères commode
6 éléphant jardin crocodile
7 crayons livres bureau
8 maison appartement chat
9 tapis lundi dimanche
10 chien nounours lapin

4 Mots mélangés

BALET PASTI ITL TROPE SACHIE MIRRAOE

RUBUAE STOPRES PLAME DOMMECO EXIDAUR TENEREF

5 Mots cachés

Touffu: Le complexe

6 Remplis les bulles.

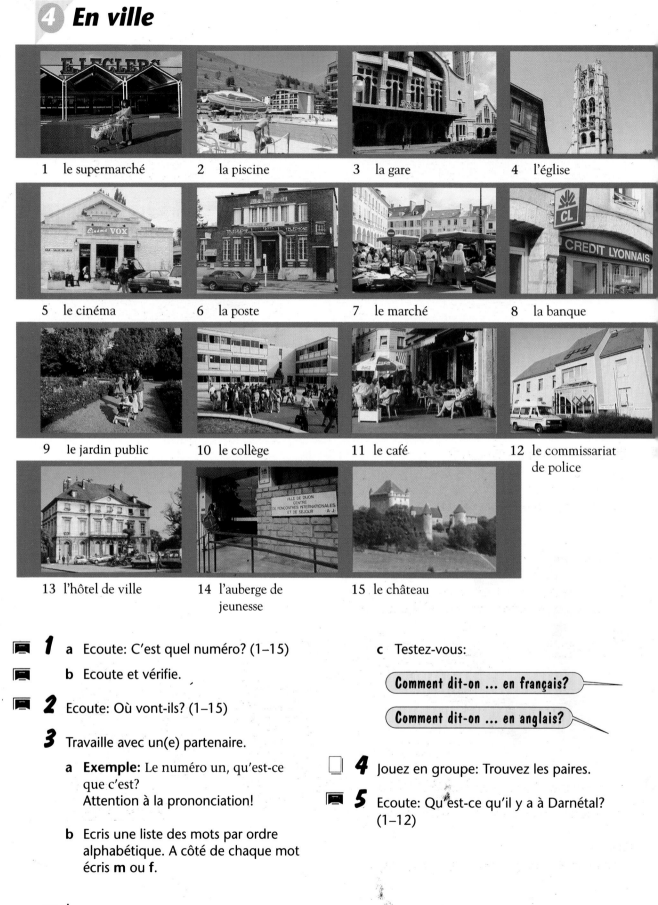

1   le supermarché
2   la piscine
3   la gare
4   l'église

5   le cinéma
6   la poste
7   le marché
8   la banque

9   le jardin public
10 le collège
11 le café
12 le commissariat de police

13 l'hôtel de ville
14 l'auberge de jeunesse
15 le château

1 a Ecoute: C'est quel numéro? (1–15)

   b Ecoute et vérifie.

2 Ecoute: Où vont-ils? (1–15)

3 Travaille avec un(e) partenaire.

   a **Exemple:** Le numéro un, qu'est-ce que c'est?
      Attention à la prononciation!

   b Ecris une liste des mots par ordre alphabétique. A côté de chaque mot écris **m** ou **f**.

   c Testez-vous:

   > Comment dit-on ... en français?

   > Comment dit-on ... en anglais?

4 Jouez en groupe: Trouvez les paires.

5 Ecoute: Qu'est-ce qu'il y a à Darnétal? (1–12)

6 Ecoute: C'est quelle carte?

7 Travaille avec un(e) partenaire: Choisis une carte et décris-la.
Ton/Ta partenaire devine.

8 A ton tour! Qu'est-ce qu'il y a près de chez toi?   Près de chez moi, il y a ...

9 Jouez en groupe: Près de chez moi il y a ...
(Chaque personne répète ... et ajoute ...)

10

a Ecoute: Où vont les copains? (1–10)

b Jouez aux cartes: Où vas-tu? Je vais ...

Chez toi
Ecris une liste: Près de chez moi, il y a ... et ...

5 Pour aller à la gare?

1 Ecoute.
   a Où vont-ils? (1–10)
   b Dans quelle direction?

tournez à gauche   allez tout droit   tournez à droite

2 Travaille avec un(e) partenaire:
Tu cherches la piscine. Qu'est-ce que tu dis?
(Utilise la grille pour t'aider.)

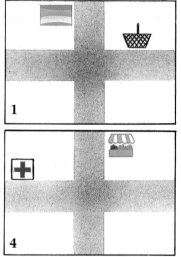

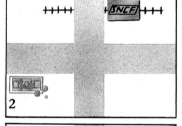

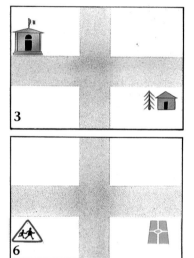

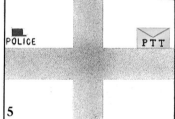

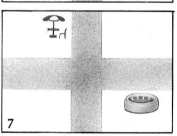

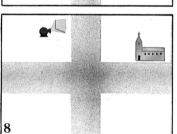

Exemple:

Pardon mademoiselle, pour aller à la piscine?   Allez tout droit.

Pour aller	à la	piscine? poste?
	à l'	hôpital? auberge de jeunesse?
	au	collège? stade?

à gauche ← la troisième rue → à droite
à gauche ← la deuxième rue → à droite
à gauche ← la première rue → à droite

Prenez

Traversez la place.

Passez le pont.

A la piscine, tournez à droite.

Au cinéma, tournez à gauche.

C'est à gauche.

C'est à droite.

3 **a** Ecoute: Ecris le bon numéro. (1–14)

b Où vont-ils?

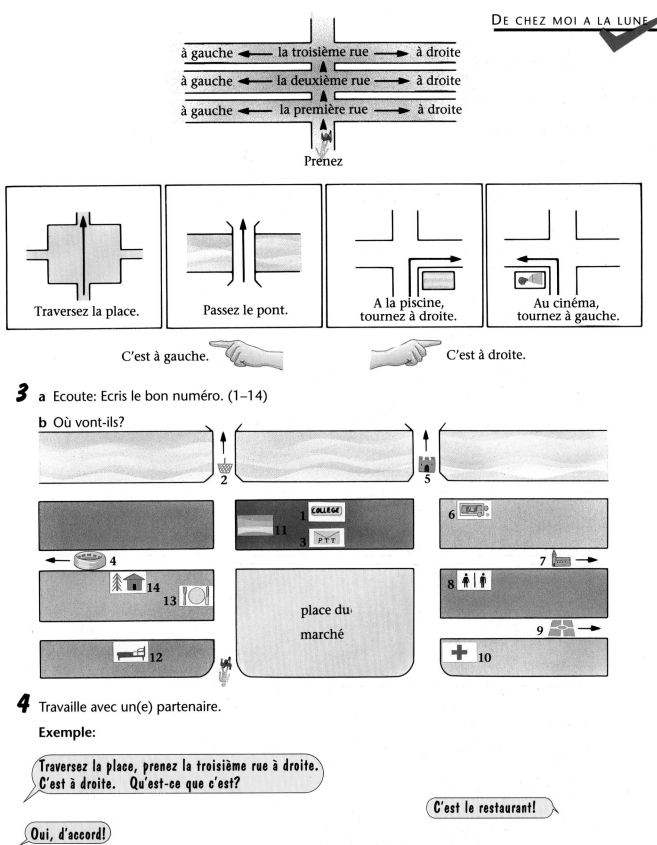

place du marché

4 Travaille avec un(e) partenaire.

Exemple:

Traversez la place, prenez la troisième rue à droite.
C'est à droite.   Qu'est-ce que c'est?

C'est le restaurant!

Oui, d'accord!

Non, pas d'accord!

Chez toi
Remplis le plan.

6 Comment vas-tu au collège?

1 Ecoute: Qui est-ce?

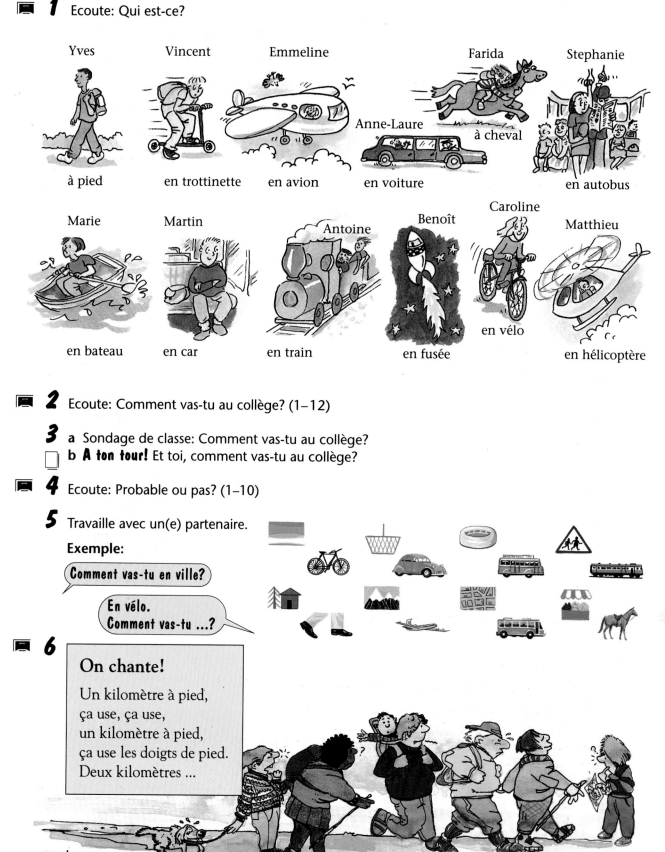

Yves — à pied

Vincent — en trottinette

Emmeline — en avion

Anne-Laure — en voiture

Farida — à cheval

Stephanie — en autobus

Marie — en bateau

Martin — en car

Antoine — en train

Benoît — en fusée

Caroline — en vélo

Matthieu — en hélicoptère

2 Ecoute: Comment vas-tu au collège? (1–12)

3 a Sondage de classe: Comment vas-tu au collège?
b A ton tour! Et toi, comment vas-tu au collège?

4 Ecoute: Probable ou pas? (1–10)

5 Travaille avec un(e) partenaire.

Exemple:

Comment vas-tu en ville?

En vélo.
Comment vas-tu ...?

6

On chante!

Un kilomètre à pied,
ça use, ça use,
un kilomètre à pied,
ça use les doigts de pied.
Deux kilomètres ...

7 Travaille avec un(e) partenaire.
Utilise la grille pour t'aider. ⭐

Je vais	au ... à la ... en ... chez ... sur ...	en (voiture). à (pied).

Comment vas-tu ...

à la piscine?
en ville?
chez tes copains?
au stade?
au Japon?

chez tes grands-parents?
au supermarché?
au cinéma?
au bord de la mer?
sur la lune?

je vais = I go
il va = he goes
elle va = she goes

8 Où vont-ils, et comment?

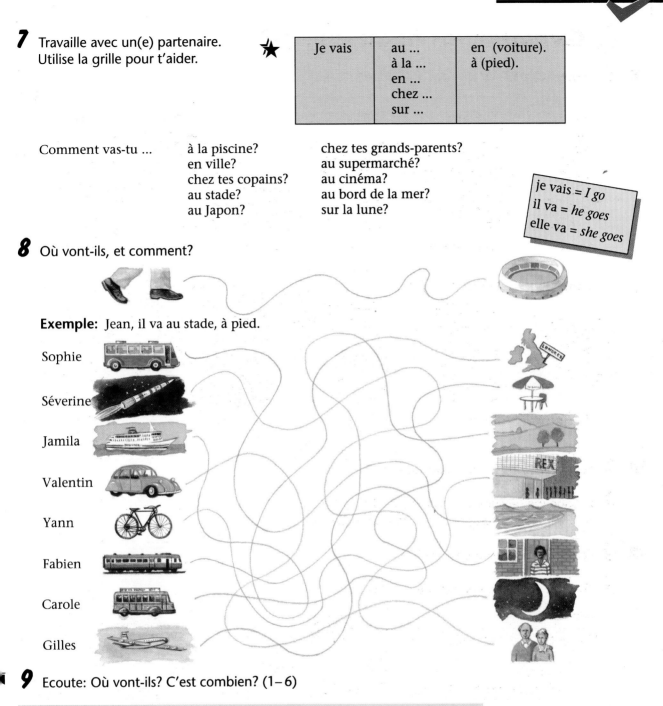

Exemple: Jean, il va au stade, à pied.

Sophie

Séverine

Jamila

Valentin

Yann

Fabien

Carole

Gilles

9 Ecoute: Où vont-ils? C'est combien? (1–6)

MINI-TEST 8

Prépare avec un(e) partenaire et révise chez toi.

- Say what shops and buildings there are in your area.
- Ask where a shop or building is.
- Give and understand directions: 'Turn right/left', 'Go straight ahead',
- 'Take the first/second street on the left/right.'
- Say how you travel to school, to town, to the shops.

Now revise Mini-test 6!

Récréation

Jeu des serpents et des échelles

Complète:

☐ Pour aller ...?

☐ Dans ma chambre, il y a ...

☐ J'y vais en ...

Réponds:

☐ C'est quelle direction?

☐ C'est quel animal?

Voyage interplanétaire

Tu vas en fusée sur la lune avec un groupe de copains.
L'expédition va durer deux mois (mars et avril).
Vous avez tout ce qui vous sera nécessaire pour le voyage.
(You have everything you will need for the voyage.)

Extras: Il y a de la place pour cinq choses, et trois autres personnes.
Vous choisissez cinq choses de cette liste:

un ordinateur et des jeux vidéos
un jeu de cartes
du papier et des crayons
une grosse boîte de bonbons
un Walkman et des cassettes
un téléphone relié à la planète terre
une télévision

un ballon de foot
un livre de mathématiques
un téléscope
des magazines
4 livres de Roald Dahl
20 litres de limonade

Et vous choisissez trois personnes de cette liste:

1   Un garçon de douze ans qui est très sympa et très gourmand.
    Il a un chien qui n'aime pas les chats.

2   Une fille de treize ans qui est très marrante, mais coléreuse.
    Elle a deux souris blanches.

3   Un garçon de neuf ans qui est timide.
    Il a un serpent qui mange une souris par mois.

4   Une fille de onze ans qui est superdouée en électronique.
    Elle a un chat qui aime bien les souris et les poissons rouges.

5   Un prof de votre collège.

6   Une fille de quatorze ans, qui est branchée et bavarde.
    Elle a deux poissons rouges.

7   Un garçon de sept ans qui est superdoué en astrophysique,
    et un peu farfelu.

> superdoué(e) = *brilliant*
> farfelu(e) = *scatty*

Choisissez ensemble. Ecrivez une liste et comparez votre choix
avec les autres groupes.

7 La belle terre

La terre un tapis pour les pieds,
un lit pour les plantes,
une maison pour les bêtes ...

1 **a** Travaillez en groupe: Faites un grand collage pour le mur de la classe.
   Le titre: 'La belle terre.' Sous chaque dessin ou découpage écrivez le bon mot.
   Vous pouvez utiliser la machine à traitement de textes.

   b Mets les mots dans la bonne colonne: la lumière/la terre/l'eau/l'air.

2

La Martinique

A 6 858km de Paris

Population:	328 281 habitants
Chef-lieu:	Fort-de-France (97 814 habitants)
Economie:	sucre, banane, rhum, ananas, tourisme
Histoire:	île française depuis 1635
Topographie:	superficie 1 100 km^2
	pays très montagneux: Montagne Pelée 1 397m d'altitude
Végétation:	forêts tropicales et savanes

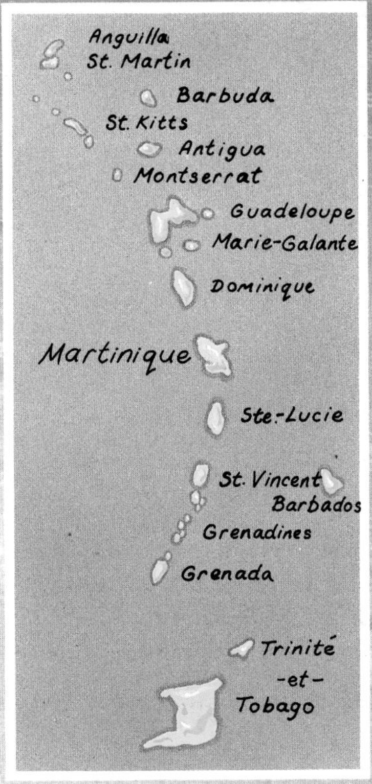

Anguilla
St. Martin

Barbuda
St. Kitts
Antigua
Montserrat

Guadeloupe
Marie-Galante

Dominique

Martinique

Ste.-Lucie

St. Vincent
Barbados
Grenadines

Grenada

Trinité
-et-
Tobago

Chez toi
Fais des recherches.
Find out five pieces of information about La Martinique.

8 Qu'est-ce qu'on peut faire ici?

1 Trouve les paires.

Exemple: Ici, il y a un stade ... on peut jouer au foot.

un stade	jouer au foot
un cinéma	faire des courses
un restaurant	jouer au tennis
des champs et des forêts	aller au restaurant
un supermarché	danser
une discothèque	faire des promenades
un lac	aller au cinéma
une bibliothèque	faire du bateau
un club de judo	nager
des montagnes	lire
une piscine	faire du ski

2 Ecoute: Qu'est-ce qu'on peut faire à ...? (1–8)

3 **A ton tour!** Qu'est-ce qu'on peut faire dans ta région?

4 Ecoute: Vrai ou faux?

Deauville

5 Travaillez en groupe:
Faites une petite brochure publicitaire pour votre région.

Ici, à ..., il y a... On peut ...

6 Ecoute: Et au collège, qu'est-ce qu'on peut faire?
Trouve les paires.

S

1 Art dramatique

4 Danse

CLUB

2 Informatique

5 Echecs

3 Tennis

6 Photographie

7 Natation

A   *mardi, mercredi 11h*

B   *mardi, vendredi 18h*

C   *mardi, mercredi 14.30h*

D   *lundi, mardi, vendredi 17.30h*

E   *lundi, jeudi 19h*

F   *lundi, vendredi 16.30h*

G   *jeudi, samedi midi*

7 Ecoute: Où vont-ils? (1–7)

8 **A ton tour!** Dans ton collège il y a combien de clubs?
Quels clubs, quel jour, à quelle heure?
Ecris une liste.

Chez toi
Dessine une station spatiale. Qu'est-ce qu'il y a dans ta station et qu'est-ce qu'on peut faire?
Ecris une liste.

Ici, on peut faire
du patin à roulettes!

9 Catalogue

1 Travaille avec un(e) partenaire.

a (Le numéro 1, qu'est-ce que c'est?) (C'est un(e)...)

b Choisis trois choses que tu aimes.
Ecris ta liste: Ton/Ta partenaire devine.

2 Ecoute: Qu'est-ce qui manque?

3 Jouez en groupe au jeu de Kim.

4 Ecoute: Ça coûte combien? (1–12)

5 Comment s'appellent ces livres en anglais?

6 Ecoute: A la librairie (1–5)
Ils choisissent quels livres? Et combien ça coûte?

7 Travaille avec un(e) partenaire: Tu vas faire les courses.
Qu'est-ce que tu dis? Utilise ce dialogue pour t'aider.

Bonjour, mademoiselle, s'il vous plaît.

Bonjour, monsieur!

Je voudrais ...

Oui, voilà!

Ça coûte combien, s'il vous plaît?

... francs ...

Merci, au revoir.

Chez toi
Regarde le poème page 84.
Ecris pour le plaisir:
Dans la maison il y a un/une ...

Bilan

I can ...

1 Talk about my house and say what rooms there are:	Chez moi il y a ...
2 Talk about my own room and say what is in it:	Dans ma chambre il y a ...
3 Say where something is:	Mon ... est | dans ... Ma ... | sur ... | sous ...
4 Say what I have and haven't got:	J'ai | un(e) ... mais je n'ai pas de ... | des ...
5 Say where I live and ask where someone lives:	J'habite ... Où habites-tu?
6 Talk about my area and name some of the buildings in it:	Près de ... il y a un cinéma, un supermarché ...
7 Say what you can do there:	Ici on peut ...
8 Ask the way and give directions to various places:	Pour aller à la/au/à l' ..., s'il vous plaît? Allez ... Tournez ... Prenez ...
9 Say what forms of transport I use to get somewhere:	Je vais ... en/à ...
10 Say what I want to buy and ask how much it is:	Je voudrais ... Ça coute combien?

Contrôle révision

 A Ecoute: Patrice téléphone. Note les réponses de Barbara.

Allô!

Tu t'appelles comment?

Quel âge as-tu?

C'est quand, ton anniversaire?

As-tu des frères ou des soeurs?

As-tu un animal?

As-tu des copains et des copines?

Où habites-tu?

C'est grand chez toi?

Il y a combien de pièces?

Qu'est-ce que tu as dans ta chambre?

Tu viens me voir bientôt?

D'accord! Au revoir!

B **a** Réponds aux questions de Patrice.

   b Prépare une interview avec un(e) partenaire.

C Lis la lettre d'Anouk Explique-la à un copain/une copine.

Rosay, le 12 avril

Cher Jacques,

Moi, j'habite dans une maison blanche et rouge, dans un petit village près de Darnetal. C'est une maison très confortable, calme et moderne.

En bas, il y a 4 pièces: salon, salle à manger, cuisine et w.c. En haut, il y a cinq pièces: 3 chambres, une salle de bains et une salle de jeu absolument super (avec une table de ping-pong!). Et chez toi, il y a combien de pièces?

Ma chambre est petite, mais très sympa. J'ai mes poissons rouges dans un aquarium, beaucoup de livres (j'adore lire), et mon train électrique sur le tapis. Sur mon bureau, il y a mon ordinateur, et sous le bureau, d'habitude, mon énorme chien! Tu as un ordinateur? Tu aimes les chiens?

Nous avons un jardin, avec des arbres fruitiers et des fleurs. Le village est petit: il y a un supermarché minuscule, une église, un pont et un café où je joue aux cartes avec mes copains. Et toi, tu habites à la campagne ou en ville?

Le collège est à 6km de chez moi, et j'y vais en car.

Ecris-moi vite,
Amitiés,

Anouk

1 Does Anouk live in a house or a flat?
2 What three things does she say about her home?
3 What four rooms does she say are downstairs?
4 How many rooms are there upstairs?
5 What does she say about her room?
6 What pets has she got?
7 Name four things she has in her room, apart from her pets.
8 Name the four places she mentions in the village.
9 Say two things about the garden.
10 What questions does she ask you?

D **a** Ecris le bon mot.

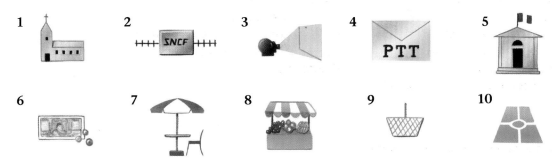

b Ecris une réponse à Anouk.

Du matin au soir

1 Quelle heure est-il?

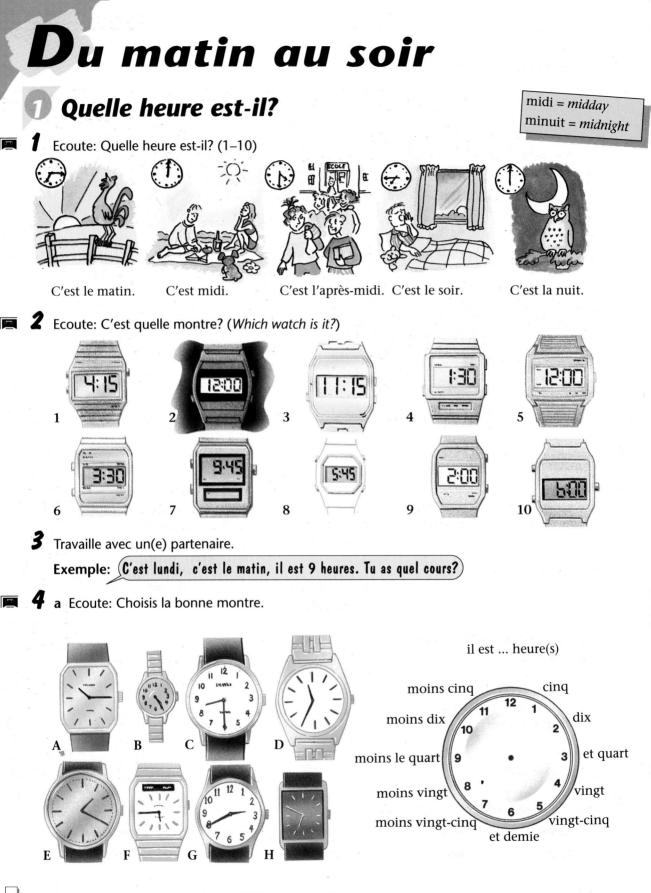

midi = *midday*
minuit = *midnight*

1 Ecoute: Quelle heure est-il? (1–10)

C'est le matin.   C'est midi.   C'est l'après-midi.   C'est le soir.   C'est la nuit.

2 Ecoute: C'est quelle montre? (*Which watch is it?*)

1   2   3   4   5

6   7   8   9   10

3 Travaille avec un(e) partenaire.

Exemple: C'est lundi, c'est le matin, il est 9 heures. Tu as quel cours?

4 a Ecoute: Choisis la bonne montre.

A   B   C   D

E   F   G   H

il est ... heure(s)

moins cinq   cinq
moins dix   dix
moins le quart   et quart
moins vingt   vingt
moins vingt-cinq   vingt-cinq
et demie

b Ecoute: Remplis les cadrans. (*Fill in the clock faces.*)

5 Donne une bulle à chaque personne.

1 (Quelle heure est-il?) 2 (Le train de huit heures dix arrive.) 3 (Bonsoir!) 4 (Et voici le flash de midi.)

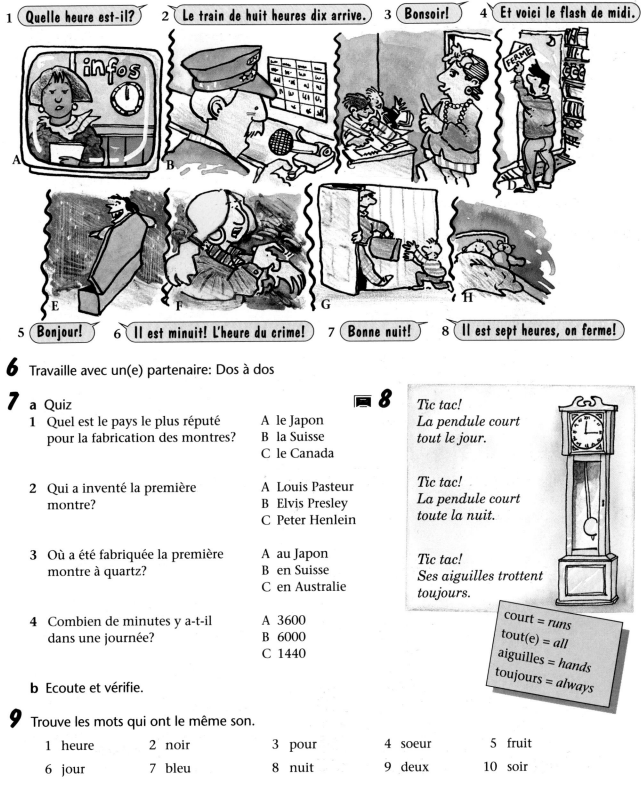

5 (Bonjour!) 6 (Il est minuit! L'heure du crime!) 7 (Bonne nuit!) 8 (Il est sept heures, on ferme!)

6 Travaille avec un(e) partenaire: Dos à dos

7 a Quiz

1 Quel est le pays le plus réputé pour la fabrication des montres?
  A le Japon
  B la Suisse
  C le Canada

2 Qui a inventé la première montre?
  A Louis Pasteur
  B Elvis Presley
  C Peter Henlein

3 Où a été fabriquée la première montre à quartz?
  A au Japon
  B en Suisse
  C en Australie

4 Combien de minutes y a-t-il dans une journée?
  A 3600
  B 6000
  C 1440

b Ecoute et vérifie.

8

Tic tac!
La pendule court
tout le jour.

Tic tac!
La pendule court
toute la nuit.

Tic tac!
Ses aiguilles trottent
toujours.

court = *runs*
tout(e) = *all*
aiguilles = *hands*
toujours = *always*

9 Trouve les mots qui ont le même son.

| 1 heure | 2 noir | 3 pour | 4 soeur | 5 fruit |
| 6 jour | 7 bleu | 8 nuit | 9 deux | 10 soir |

Chez toi
Les montres

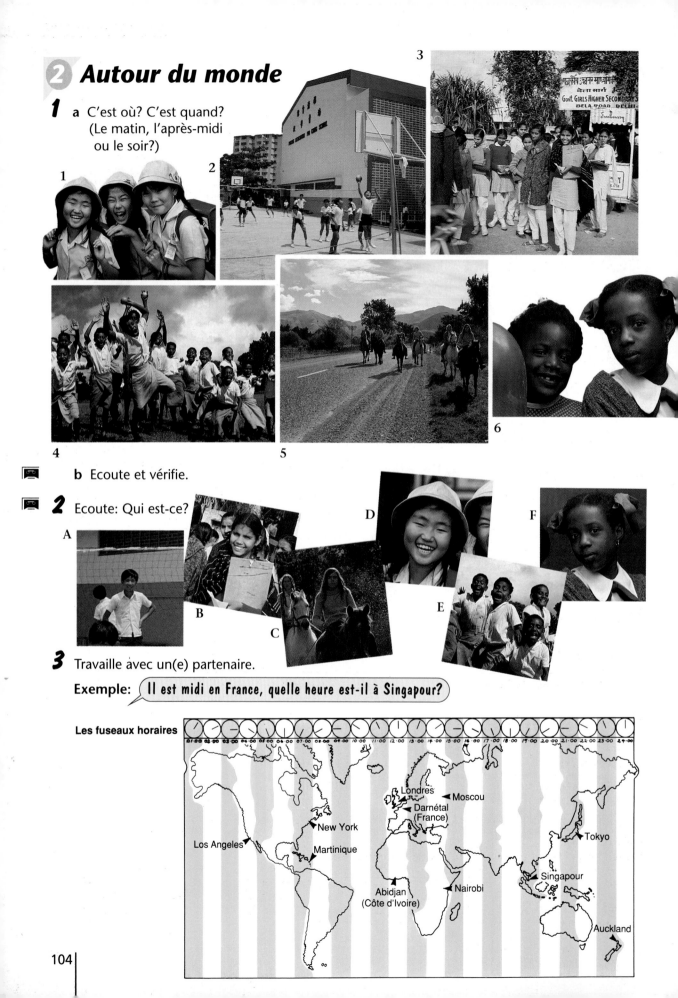

2 *Autour du monde*

1 **a** C'est où? C'est quand?
(Le matin, l'après-midi
ou le soir?)

1

2

3

4

5

6

b Ecoute et vérifie.

2 Ecoute: Qui est-ce?

A

B

C

D

E

F

3 Travaille avec un(e) partenaire.

Exemple: Il est midi en France, quelle heure est-il à Singapour?

Les fuseaux horaires

01:00 02:00 03:00 04:00 05:00 06:00 07:00 08:00 09:00 10:00 11:00 12:00 13:00 14:00 15:00 16:00 17:00 18:00 19:00 20:00 21:00 22:00 23:00 24:00

Londres
Moscou
Darnétal
(France)
New York
Tokyo
Los Angeles
Martinique
Singapour
Abidjan
(Côte d'Ivoire)
Nairobi
Auckland

4 Et à l'autre bout du monde ...
    a La journée de Massou et Lee
    b Ecoute: Vrai ou faux?

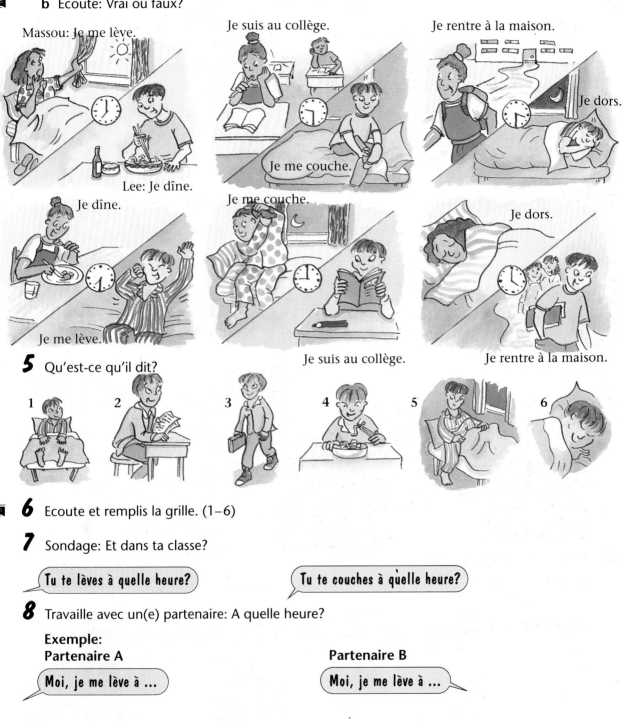

Massou: Je me lève.

Lee: Je dîne.

Je suis au collège.

Je me couche.

Je rentre à la maison.

Je dors.

Je dîne.

Je me lève.

Je me couche.

Je suis au collège.

Je dors.

Je rentre à la maison.

5 Qu'est-ce qu'il dit?

1   2   3   4   5   6

6 Ecoute et remplis la grille. (1–6)

7 Sondage: Et dans ta classe?

> Tu te lèves à quelle heure?

> Tu te couches à quelle heure?

8 Travaille avec un(e) partenaire: A quelle heure?

Exemple:
Partenaire A

> Moi, je me lève à ...

Partenaire B

> Moi, je me lève à ...

Chez toi
Trouve les paires et mets les phrases dans le bon ordre.

A 4h 30 de l'après-midi ...	A 7h du soir ...	je vais au collège.	je dors.
A 5h du matin ...	A 10h du soir ...	je me couche.	je rentre à la maison.
A 2h de l'après-midi ...	A 7h 30 du matin ...	je dîne.	je me lève.

3 La journée de Nathalie

1 **a** Ecoute: C'est quel dessin?

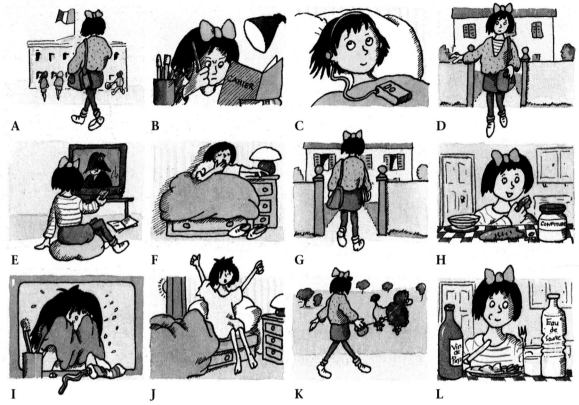

b Mets les phrases dans le bon ordre.

Je vais au collège.   Je fais mes devoirs.   J'écoute de la musique.   Je regarde la télé.

Je me couche.   Je rentre à la maison.   Je mange mon petit déjeuner.   Je me lève.

Je me lave.   Je promène le chien.   Je dîne.   Je quitte la maison.

2 Travaille avec un(e) partenaire: Numéro un, qu'est-ce qu'il dit?
Attention à la prononciation!

3 Remplis les bulles.

4 Jouez en groupe: Mettez les cartes dans le bon ordre.

5 Ecoute: Qui parle?

Jean

Benjamin

Louise

Delphine

6 Travaille avec un(e) partenaire:
Trouve les paires et complète.

1 Je me leve à ...   A dans le salon.
2 Je me lave ...   B dix heures.
3 Je quitte la maison à ...   C la cantine.
4 Je regarde la télé ...   D huit heures.
5 Je me couche à ...   E dans la salle de bains.
6 Je rentre à la maison à ...   F Walkman.
7 Je fais mes devoirs dans ...   G le chien.
8 Dans mon lit, j'écoute mon ...   H sept heures et quart.
9 Je promène ...   I ma chambre.
10 A midi, je mange à ...   J quatre heures et demie.

7 Travaillez en groupe: Faites un enregistrement avec accompagnement sonore.

MINI-TEST 9

Prépare avec un(e) partenaire et révise chez toi.

- Ask and say the time.
- Say whether it is morning, afternoon, evening or night.
- Outline your basic daily routine.

Now revise Mini-test 7!

Récréation

Jeu-test

1 Il est sept heures moins le quart. Le réveil sonne:
- ■ Je me lève immédiatement.
- ▲ Je me lève dans 20 minutes.
- ● Je dors.

4 Pour aller au collège:
- ● Je porte une cravate.
- ■ Je ne porte pas de cravate.
- ▲ Je porte un noeud papillon.

7 Le soir, dans mon lit, je préfère:
- ■ lire.
- ▲ écouter de la musique.
- ● regarder la télé.

2 Dans la salle de bains:
- ● J'aime prendre une douche.
- ▲ J'aime prendre un bain.
- ■ Je ne me lave pas.

5 Je vais au collège:
- ■ à pied, avec un copain ou une copine.
- ● en car avec les copains.
- ▲ en voiture avec mon père ou ma mère.

8 L'après-midi, après le collège, j'aime:
- ● faire mes devoirs.
- ■ aller en ville avec les copains.
- ▲ faire du sport.

3 Le matin:
- ■ Je mange des céréales et je prends un jus de fruit.
- ● Je mange de toasts et je bois du café.
- ▲ Je ne mange pas.

6 A midi, je mange:
- ▲ un sandwich.
- ● un steak-frites.
- ■ un paquet de chips et du chocolat.

9 Quand je rentre à la maison:
- ▲ Je cours.
- ● Je chante.
- ■ Je flâne.

Majorité de ■ : Tu es dynamique; tu aimes le rouge, le sport et les copains.

Majorité de ▲ : Tu aimes le confort, les vacances, les animaux et le bleu.

Majorité de ● : Tu aimes le cinéma, le jaune, les B.D.; tu n'aimes pas les maths; tu es timide.

sonner = *to ring*
une cravate = *a tie*
un noeud papillon = *a bow tie*
courir = *to run*
flâner = *to dawdle*

Bill et Boule: *Le jour du bain du chien*

☐ Remplis les bulles.

Qu'est-ce que tu portes?

1 Qui parle?

a Ecoute.

b Lis, trouve la bonne personne et complète.

Aline

Jérôme

Nicole

Yves

Maurice

Janine

je mets = I put on

Je mets ma robe bleue, ma chemise blanche, mes chaussettes blanches et mes sandales rouges.

Je mets mon écharpe à rayures grises et vertes, mon pull marron, mon pantalon bleu et mes 2 vertes.

Je mets mon tee-shirt orange, mon short noir, mes 1 blanches et mes baskets noirs.

Je mets ma veste jaune, mon 3 marron, mes bottes jaunes et mes gants bleus.

Je mets mon pull gris, ma jupe à pois rouges et mes chaussures jaunes.

Je mets mon 4 à carreaux rouges et verts, mon 5 rouge, mes 6 blanches et mes 7 verts.

c Complète: Les couleurs

je porte = I wear

2 Travaille avec un(e) partenaire: Qu'est-ce que tu portes?

1

2

3

4

5

6

7

8

9

10

3 Jouez en groupe: Trouvez les paires.

4 Ecoute: Qu'est-ce qu'il porte?

> Promenons-nous dans les bois,
> pendant qu'le loup n'y est pas.
> Si le loup y'était
> il nous mangerait.
> Loup, y es-tu?
> M'entends-tu?
> Que fais-tu?

> Je mets mon pantalon...

> Je mets mes bottes...

> Je mets ma chemise...

> J'arrive!

le bois = *the wood*

5 **a** Ecris le bon mot sous chaque image.
   b Ecoute: Qu'est-ce qu'ils portent le week-end?
   Remplis la grille.

6 **A ton tour!** Travaille avec un(e) partenaire: Vrai ou faux?

> Qu'est-ce que tu portes aujourd'hui?

7 Jouez en groupe: Décrivez à tour de rôle une personne dans la classe.
Le groupe devine qui c'est. Utilisez la grille pour vous aider.

Il		grand(e).	Il		les yeux ...	Il	porte ...
	est			a			
Elle		petit(e).	Elle		les cheveux ...	Elle	

Chez toi
Coloriage

⑤ Dans l'armoire

1 Travaille avec un(e) partenaire:
Trouvez ... et écrivez la liste.

quatre vêtements
- qui appartiennent à Denis
- qui appartiennent à Lucie
- bleus, rouges, blancs
- dont le nom commence avec la lettre **c**

un vêtement
- à rayures
- à carreaux
- à pois

un slip = underpants

2 Ecoute: Qu'est-ce qu'il manque?

3 Ecoute: Dans mon armoire il y a ...
(1–6)

une écharpe

un pull

des chaussettes

une jupe

un manteau

des chaussures

un bermuda

des baskets

un chapeau

un tee-shirt

la chemise

des gants

un slip

un pantalon

4 Qui porte ...?

1 un blue-jean, un sweat et des baskets jaunes

2 un body à rayures

3 une combinaison de ski rouge

4 un jogging rose

5 un maillot jaune et un short noir

6 un maillot de bain à pois bleus

je porte (*I am wearing*)

tu portes (*you are wearing*)

il/elle porte (*he/she is wearing*)

5 Lucie et Denis, qu'est-ce qu'ils aiment faire?

Chez toi

Masculin, féminin ou pluriel? Fais une liste des vêtements de Lucie et Denis et mets les mots dans la bonne colonne.

m (un)	f (une)	pl (des)
pull	jupe	baskets

6 *Dans la salle de bains*

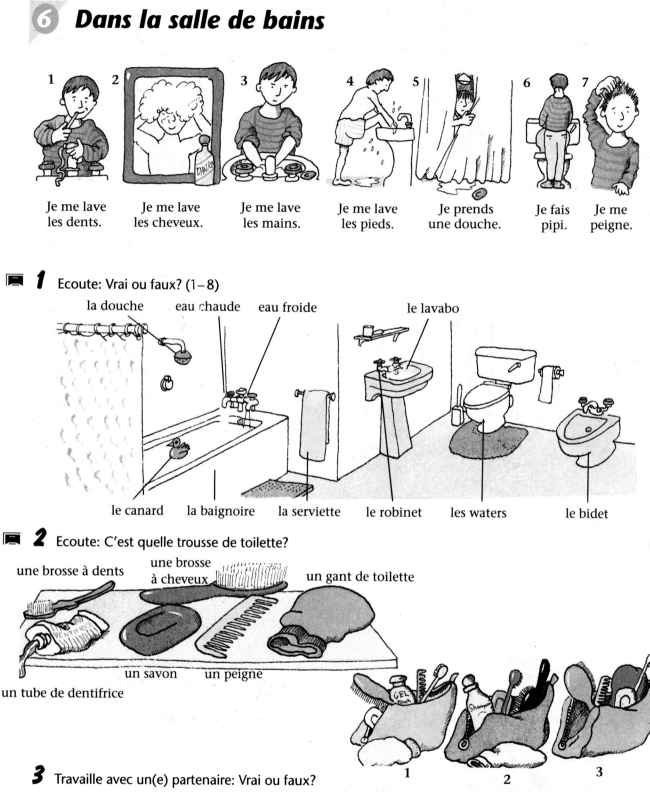

1	2	3	4	5	6	7
Je me lave les dents.	Je me lave les cheveux.	Je me lave les mains.	Je me lave les pieds.	Je prends une douche.	Je fais pipi.	Je me peigne.

1 Ecoute: Vrai ou faux? (1–8)

la douche · eau chaude · eau froide · le lavabo

le canard · la baignoire · la serviette · le robinet · les waters · le bidet

2 Ecoute: C'est quelle trousse de toilette?

une brosse à dents · une brosse à cheveux · un gant de toilette

un savon · un peigne

un tube de dentifrice

1 2 3

3 Travaille avec un(e) partenaire: Vrai ou faux?

1 Je me lave les dents avec du savon.
2 Je me peigne avec une brosse à dents.
3 Je dors dans la baignoire.

4 Je fais mes devoirs dans la douche.
5 Je joue au football dans le bidet.
6 Je prends une douche dans le lavabo.

Fais six 'vrai ou faux' pour ton/ta partenaire.

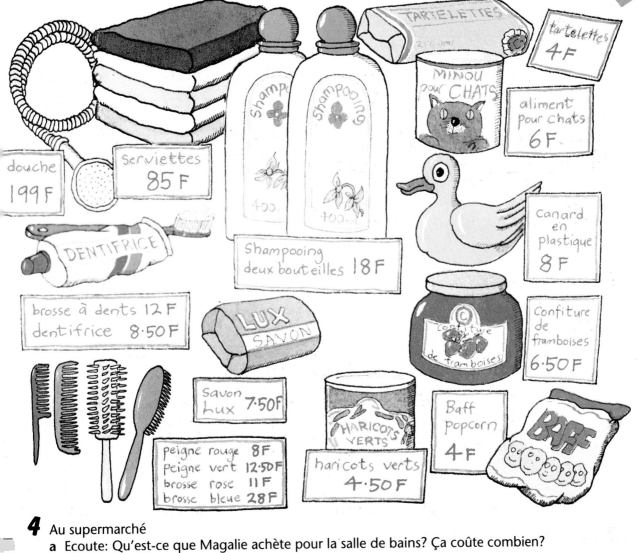

douche 199 F

serviettes 85 F

tartelettes 4 F

aliment pour chats 6 F

DENTIFRICE

Shampooing deux bouteilles 18 F

Canard en plastique 8 F

brosse à dents 12 F
dentifrice 8·50 F

LUX SAVON

Confiture de framboises 6·50 F

Savon Lux 7·50 F

HARICOTS VERTS

Baff Popcorn 4 F

BAFF

peigne rouge 8 F
peigne vert 12·50 F
brosse rose 11 F
brosse bleue 28 F

haricots verts 4·50 F

4 Au supermarché

  a Ecoute: Qu'est-ce que Magalie achète pour la salle de bains? Ça coûte combien?

  b Travaille avec un(e) partenaire.
     Utilise ce dialogue pour t'aider.

Bonjour ... Je voudrais un peigne, s'il vous plaît.

Oui, de quelle couleur?

Vert, s'il vous plaît.
Ça coûte combien?

Douze francs cinquante, s'il vous plaît.

Voilà. Merci, au revoir.

Au revoir. Bonne journée!

MINI-TEST 10

Prépare avec un(e) partenaire et révise chez toi.

- Say what you wear at school and at home.
- Name five things in your bathroom.

Now revise Mini-test 8!

Récréation

1 Qu'est-ce qu'ils portent?

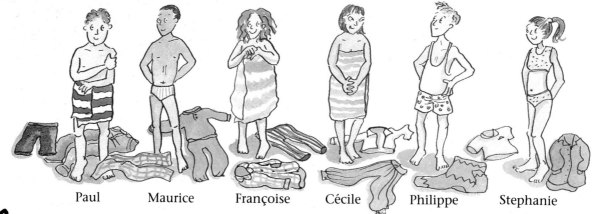

Paul   Maurice   Françoise   Cécile   Philippe   Stephanie

2 Jeu des différences
Joue avec un(e) partenaire: Quelles sont les différences? (8)

Valérie

Michel

3 D'accord ou pas?
Trouve tous ceux qui ont le même signe (tu demandes: Quelle est la date de ton anniversaire?)
et décide: D'accord ou pas?

	Verseau	21 janvier — 19 février	Sympa Intelligent
	Poissons	20 février — 20 mars	Artistique Gourmand
	Bélier	21 mars — 20 avril	Timide Généreux
	Taureau	21 avril — 21 mai	Travailleur Maladroit
	Gémeaux	22 mai — 21 juin	Marrant Coléreux
	Cancer	22 juin — 23 juillet	Bavard Paresseux
	Lion	24 juillet — 23 août	Intelligent Farfelu
	Vierge	24 août — 23 septembre	Sympa Sérieux
	Balance	24 septembre — 23 octobre	Travailleur Calme
	Scorpion	24 octobre — 22 novembre	Coléreux Artistique
	Sagittaire	23 novembre — 21 décembre	Marrant Maladroit
	Capricorne	22 décembre — 20 janvier	Farfelu Sympa

4

Aurais-je le temps de voir la nuit?
Aurais-je le temps de voir le jour?
Aurais-je le temps de voir la fin du monde?
Aurais-je le temps de tout voir,
Et d'avoir le temps?

Ecoute et lis à haute voix.
Avec un(e) partenaire, essaie
d'apprendre cette comptine.

aurais-je le temps de voir = *will I have the time to see*
la fin du monde = *the end of the world*
tout = *all, everything*
et d'avoir le temps = *and to have time*

5 Mets en ordre de préférence et écris une liste. Compare ton choix avec un(e) partenaire.

Je me lève.   Je joue avec les copains.   Je me lave.   Je fais mes devoirs.

Je vais au collège.   Je suis au collège.   Je regarde la télévision.

Je rentre à la maison.   Je dîne.   Je me couche.

6 Trouve les paires.

1   2   3   4   5   6

A Il est cinq heures vingt.
B Il est minuit moins dix.
C Il est huit heures moins cinq.

D Il est onze heures et quart.
E Il est neuf heures vingt-cinq.
F Il est une heure et demie.

7 Vrai ou faux?

1 La planète Terre tourne d'ouest en est.

2 Dans l'hémisphère nord, le jour le plus long est le 21 décembre.

3 La terre tourne autour du soleil à 30 kilomètres par seconde.

4 Quand il est dix heures à Londres, il est une heure à New York.

5 La terre est à 150 millions de kilomètres du soleil.

6 Il y a 9 planètes dans le système solaire.

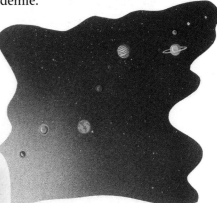

le système solaire

7 Quatre repas par jour

1 Ecoute: C'est quel repas? (1–8)

2 Travaille avec un(e) partenaire: C'est pour quel repas?

Exemple:

Le poulet, c'est pour quel repas?

C'est pour le déjeuner.

le petit déjeuner

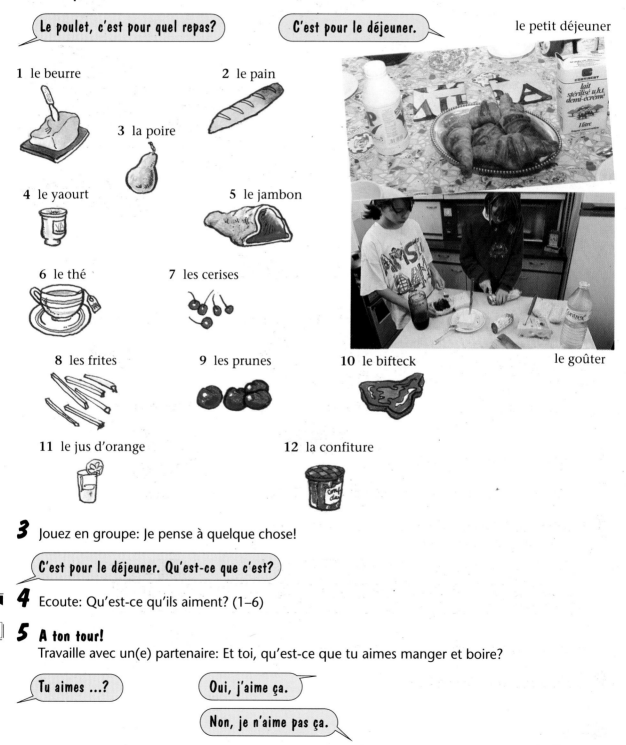

1 le beurre

2 le pain

3 la poire

4 le yaourt

5 le jambon

6 le thé

7 les cerises

8 les frites

9 les prunes

10 le bifteck

le goûter

11 le jus d'orange

12 la confiture

3 Jouez en groupe: Je pense à quelque chose!

C'est pour le déjeuner. Qu'est-ce que c'est?

4 Ecoute: Qu'est-ce qu'ils aiment? (1–6)

5 A ton tour!
Travaille avec un(e) partenaire: Et toi, qu'est-ce que tu aimes manger et boire?

Tu aimes …?

Oui, j'aime ça.

Non, je n'aime pas ça.

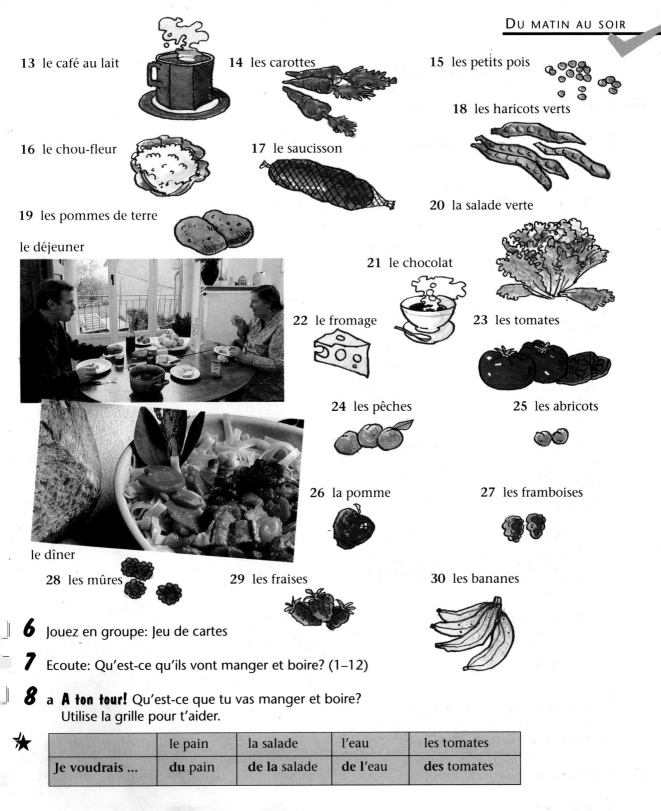

13 le café au lait

14 les carottes

15 les petits pois

18 les haricots verts

16 le chou-fleur

17 le saucisson

19 les pommes de terre

le déjeuner

20 la salade verte

21 le chocolat

22 le fromage

23 les tomates

24 les pêches

25 les abricots

26 la pomme

27 les framboises

le dîner

28 les mûres

29 les fraises

30 les bananes

6 Jouez en groupe: Jeu de cartes

7 Ecoute: Qu'est-ce qu'ils vont manger et boire? (1–12)

8 a **A ton tour!** Qu'est-ce que tu vas manger et boire?
Utilise la grille pour t'aider.

	le pain	la salade	l'eau	les tomates
Je voudrais ...	**du** pain	**de la** salade	**de l'**eau	**des** tomates

b Tous ceux qui aiment ... changez de place!

9 C'est quelle sorte de confiture?

Chez toi
Ecris et illustre un menu.

8 Dans les magasins

1 Ecoute: Qu'est-ce qu'ils oublient?

ils oublient = *they forget*

pain
beurre
sucre
lait
confiture
miel
croissants

carottes
oignons
ail
tomates
bifteck
pommes de terre

pain au chocolat
bonbons

tartes aux pommes
éclairs
chips

brie
jambon
salade
pain

poulet
yaourt

fromage frais

2 Travaille avec un(e) partenaire.

a Le numéro un, qu'est-ce que c'est? Ça coûte combien?

b Tu as trente-huit francs. Qu'est-ce que tu achètes?
Ton/Ta partenaire devine.

3 Travaille avec un(e) partenaire: Le numéro un, qu'est-ce que c'est?

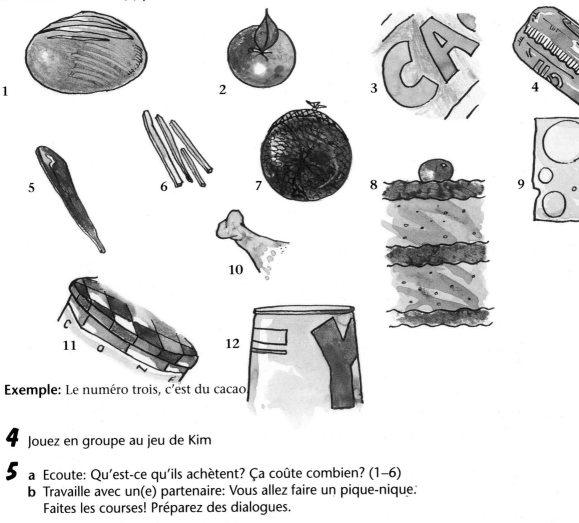

Exemple: Le numéro trois, c'est du cacao.

4 Jouez en groupe au jeu de Kim

5 a Ecoute: Qu'est-ce qu'ils achètent? Ça coûte combien? (1–6)
   b Travaille avec un(e) partenaire: Vous allez faire un pique-nique.
      Faites les courses! Préparez des dialogues.

> Bonjour monsieur/madame/mademoiselle.
> Je voudrais ...

> Je voudrais aussi ...

> Ça coûte combien?

> Merci. Au revoir monsieur/madame/mademoiselle.

> Oui, voilà, et avec ça?

> C'est tout?

> ... francs ...

> Au revoir. Bonne journée!

c'est tout? = *is that all?*
aussi = *as well*

   c Dos à dos: Qu'est-ce que tu achètes? Ça coûte combien?

Chez toi
Fais la liste des choses que tu aimes manger et boire et des choses que tu n'aimes pas
manger et boire.

J'aime manger ...   Je n'aime pas manger ...
      boire ...   boire ...

9 Quel temps fait-il?

1 Ecoute: La météo pour aujourd'hui *(The weather forecast for today)*
Choisis le bon numéro.

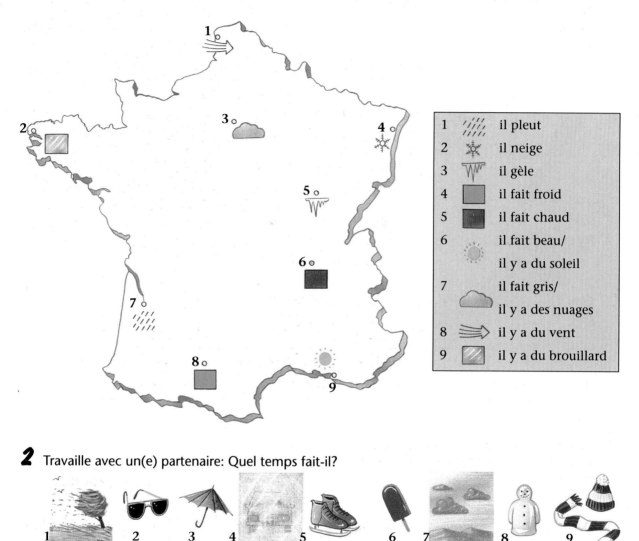

1	///	il pleut
2	❄	il neige
3	⩗	il gèle
4	▢	il fait froid
5	▣	il fait chaud
6	☀	il fait beau/ il y a du soleil
7	☁	il fait gris/ il y a des nuages
8	⇒	il y a du vent
9	▨	il y a du brouillard

2 Travaille avec un(e) partenaire: Quel temps fait-il?

1   2   3   4   5   6   7   8   9

3 Jouez en groupe: Il fait …

4 Les saisons: Quel temps fait-il en hiver, chez toi?
Et au printemps? Et en automne? Et en été?
Ecris la météo pour chaque saison.

en été   en automne   en hiver   au printemps

5 Qu'est-ce que tu portes …

quand il fait beau?   quand il fait gris?
quand il fait chaud?   quand il pleut?
quand il fait froid?   quand il neige?

Ecris les listes.

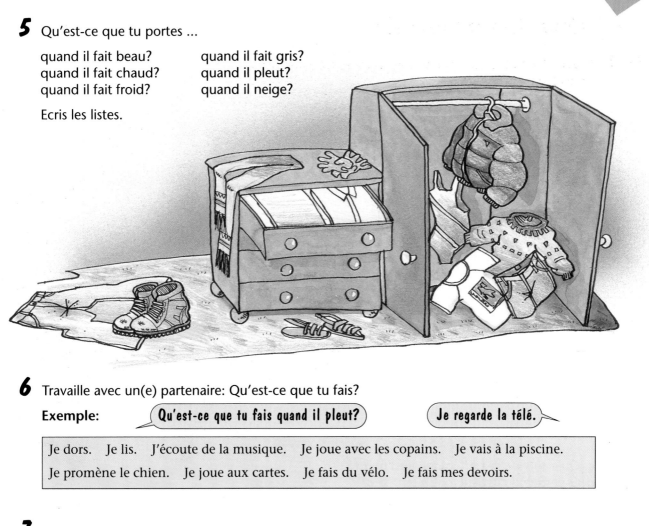

6 Travaille avec un(e) partenaire: Qu'est-ce que tu fais?

Exemple: Qu'est-ce que tu fais quand il pleut?   Je regarde la télé.

Je dors.   Je lis.   J'écoute de la musique.   Je joue avec les copains.   Je vais à la piscine.
Je promène le chien.   Je joue aux cartes.   Je fais du vélo.   Je fais mes devoirs.

7 Quand il fait chaud, quand il fait froid …
qu'est-ce que tu manges, qu'est-ce que tu bois?
Ecris les menus.

8 Travaillez en groupe: Préparez et réalisez un défilé de mode.
(Prepare and put on a fashion show.)

En été, je porte … En hiver, je porte … etc.

Enregistrez sur cassette vidéo, si possible.

Chez toi
Dessine le bon symbole.

Bilan

I can ...

1	ask what the time is and tell the time:	Quelle heure est-il? Il est ...
2	say what I do on a typical school day:	Le matin je me lève à ... etc.
3	say what I wear at school and at the weekend:	Pour le collège, je porte ... Le week-end je porte ...

4	ask what someone likes to eat or drink and say what I like and don't like eating and drinking:	Qu'est-ce que tu aimes manger/boire?
		    J'aime ...
		    Je n'aime pas ...

5	buy some food in a shop and ask the price:	Je voudrais ... Ça coûte combien?
6	ask and say what the weather is like:	Quel temps fait-il? Il y a .../il fait ...

Contrôle révision

A Ecoute.
- **a** Ils se lèvent à quelle heure? (5)
- **b** Qu'est-ce qu'ils mangent pour le petit déjeuner? (5)
- **c** Qu'est-ce qu'ils portent aujourd'hui? (5)
- **d** Qu'est-ce qu'ils achètent? (10)
- **e** Quel temps fait-il? (4)

B Trouve les paires: Pour chaque question choisis la bonne réponse ...

A quelle heure tu te lèves?	Il fait froid et il pleut.
Qu'est-ce que tu portes pour aller au collège?	Un steak-frites et de la salade.
Qu'est-ce que tu manges pour le petit déjeuner?	Je porte un pull ou un sweat, un pantalon, des chaussettes et des baskets.
Qu'est-ce que tu aimes manger pour le déjeuner?	Je me lève à sept heures.
Qu'est-ce que tu n'aimes pas manger?	Des toasts et je bois du chocolat chaud.
Quel temps fait-il aujourd'hui?	Je déteste les épinards.

... et réponds aux mêmes questions.

C Qu'est-ce qu'on peut manger?
Explique à un copain/une copine.

1 What is the main ingredient of the first course?
2 What meat is being served?
3 What two vegetables are being served with it?
4 What is the dessert?

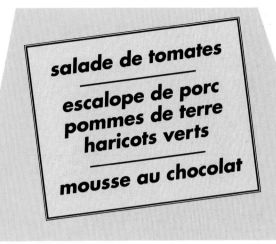

salade de tomates
_____

escalope de porc
pommes de terre
haricots verts
_____

mousse au chocolat

D **a** Tu fais les courses. Ecris une liste!

b Ecris un menu pour le déjeuner à la cantine.

De la tête aux pieds

1 Mon corps à moi

1 Ecoute: Une leçon de gym

Levez les bras!

Baissez les bras!

Levez la jambe droite!

Baissez la jambe droite!

Tapez des mains

Dos à dos!

Fesse à fesse!

Touchez la tête!

Tirez les cheveux!

Tirez la langue!

Tournez la tête à gauche!

Remuez les oreilles!

Touchez le nez!

Pliez les genoux

2 Jouez à 'Jacques a dit …'

3 Jeu de dé: Jouez en groupes de quatre.
Si tu jettes un 'un', tu as la tête; un 'deux', un bras; un 'trois', une main; un 'quatre', le corps; un 'cinq', une jambe; un 'six', un pied.

4 Travaille avec un(e) partenaire: Le clown
Le numéro un, qu'est-ce que c'est?

la main
le pied
le cou
la jambe
la bouche
le nez

le dos
le ventre
la tête
le bras
l'oreille
la fesse
le corps

5 Ecoute: C'est quelle partie du corps? (1–10)

126

6 Ecoute: C'est quel monstre?

1

Un chouettosaure a trois yeux, six oreilles et cinq pieds.

Un trucosaure est petit et a un grand nez, des poils verts et deux grands yeux noirs.

Un patatosaure est moche. Il pue. Il est très sympa. Il a dix pieds et deux cornes. Il porte des lunettes.

Un superosaure. Ce monstre a une très petite tête, trois jambes, quatre oreilles et des pieds énormes.

Un bofosaure est minuscule. Il a des cheveux frisés, roux, très longs et deux petits pieds bleus.

Un ohlàlàosaure est gros. Il a des poils roses sur le dos et jaunes sur le ventre.

4

5

6

3

il pue = *he smells*

7 Qu'est-ce que c'est?

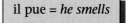

1   2   3   4   5   6   7

8 Donne à chaque partie du corps le bon nom.

9 Organisez avec le/la prof une leçon de gym. Enregistrez sur cassette vidéo.

Chez toi
Dessine un monstre et écris le nom des parties de son corps.

② J'ai mal!

1 a Ecoute: C'est quel numéro?

9 J'ai mal à la gorge.

10 J'ai mal au coeur.

b Travaille avec un(e) partenaire: Utilise la grille pour t'aider.

Ça va?

Non, j'ai mal ...

⭐

J'ai mal	**au** dos.
	à la tête.
	aux dents.

c A ton tour! J'ai mal ...

2 Jouez en groupe: Où as-tu mal?
Tu mimes, et le reste du groupe devine: Tu as mal au coeur?

3 Jeu des différences
Vrai ou faux? Sur l'image 2:

1 Les pieds de Nicolas sont plus grands.
2 Les oreilles de Nicolas sont plus petites.
3 Marie a les yeux bruns.
4 Marie a les cheveux longs.
5 Marie est plus mince.

6 Nicolas est plus gros.
7 Nicolas porte un pantalon gris.
8 Marie porte des chaussettes bleues.
9 Nicolas porte des lunettes.
10 Les bras de Marie sont plus courts.

sont = are
plus = more

4 Ecoute: C'est quel numéro? (1–5)

5 Travaille avec un(e) partenaire: Utilise ce dialogue pour t'aider.

> Je voudrais quelque chose pour les mains, s'il vous plaît.

> Oui. Voilà.

6 Mots mélangés

BEJAM   IMAN   DIPE   UXYE   ASRB   ETTE   PORCS   DIGOT

Chez toi
Mots cachés

3 Chez l'oculiste

1 Test de vision

Mets le livre à deux mètres de tes yeux.
Peux-tu lire toutes les lettres?
Un(e) partenaire vérifie.

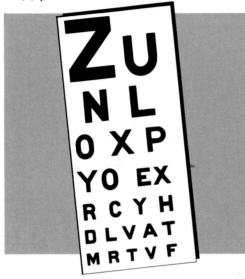

2 Test de vision des couleurs

Tu vois quelles lettres?

3 Travaille avec un(e) partenaire: Comment dit-on ... en français? Comment ça s'écrit?

4 Donne à chaque paire de lunettes sa bonne étiquette.

lunettes vertes
en plastique

lunettes ovales

lunettes rondes
en métal

lunettes roses
carrées

lunettes de soleil

verres de contact

lunettes à pois
et à ailes

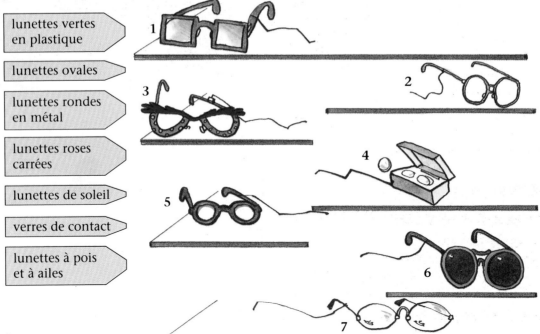

5 Quel est le mot français?

Exemple:

Mot latin	Mot français	Mot anglais
dens/dentis	dent	*tooth*

Mot latin	Mot anglais	Mot latin	Mot anglais
oculus	*eye*	bracchium	*arm*
dens/dentis	*tooth*	pes/pedis	*foot*
barba	*beard*	bucca	*mouth*
manus	*hand*	capilla	*hair*
nasus	*nose*	digitus	*finger*
auricula	*ear*	dorsus	*back*

6 Vrai ou faux?

1 La clavicule est un os du pied.
2 Le sternum est un os de la tête.
3 L'humérus est un os de la jambe.
4 Le cubitus est un os du bras.
5 Le radius est un os de la tête.
6 Le fémur est un os de la main.
7 Le tibia est un os du dos.
8 Le péroné est un os du cou.

sternum · clavicule · humérus · radius · cubitus · fémur · tibia · péroné

7

Henri premier
lève le pied
Henri deux
Lève la queue
Henri trois
lève le doigt
Henri quatre
lève la patte
Henri cinq
lève la main
Henri six
lève la cuisse.

8 Jouez en groupe au Pendu.

MINI-TEST 11

Prépare avec un(e) partenaire et révise chez toi:

- Say what you look like.
- Say what someone else looks like.
- Name the parts of the body.
- Say you have a pain somewhere.

Now revise Mini-test 9!

Récréation

Bon appétit

Bill et gym

] Remplis les bulles.

] Dos à dos: Ça va?

4 Tu as la forme?

1 a Ecoute: Comment ça va?

b Remplis les bulles.

2 a Ecoute: C'est quel numéro?

1   2   3   4   5   6

b Travaille avec un(e) partenaire: Qu'est-ce qu'ils disent?

c Jouez à 'Mais'.

Exemple:

Je n'ai pas faim, je n'ai pas la forme, je n'ai pas le cafard, je n'ai pas froid, je n'ai pas soif, mais ...

... Mais tu as chaud.

3 a Choisis une réponse.

Qu'est-ce que tu fais quand ...

1 tu as chaud?	**A** Je mets un pull-over.	**G** Je dors.
2 tu as froid?	**B** Je chante.	**H** Je fais du sport.
3 tu as faim?	**C** Je joue avec les copains.	**I** Je nage.
4 tu as soif?	**D** Je regarde la télévision.	**J** Je lis.
5 tu as le cafard?	**E** Je mange.	**K** Je prends une douche.
6 tu as la forme?	**F** Je bois.	**L** J'écoute la radio.

b A ton tour! Qu'est-ce que tu fais quand ...?

4 Tu mesures combien?
Faites une toise pour le mur de la classe et mesurez-vous.
(*Make a rule for the classroom wall and measure yourselves.*)

5 Sondage de classe: D'accord ou pas?

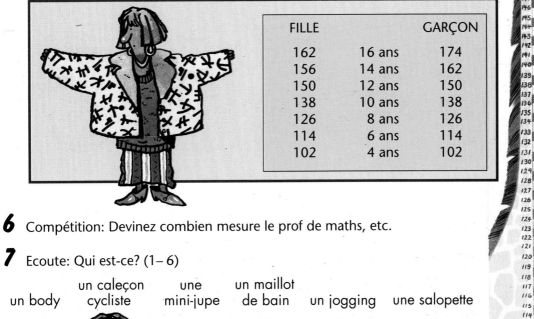

FILLE		GARÇON
162	16 ans	174
156	14 ans	162
150	12 ans	150
138	10 ans	138
126	8 ans	126
114	6 ans	114
102	4 ans	102

6 Compétition: Devinez combien mesure le prof de maths, etc.

7 Ecoute: Qui est-ce? (1 – 6)

un body   un caleçon   une   un maillot
            cycliste   mini-jupe   de bain   un jogging   une salopette

Hannah   Frédéric   Séverine   Christian   Nadia   Ludovic

8 Travaille avec un(e) partenaire: Achète un vêtement chouette pour quand tu as
le cafard! Utilise ce dialogue pour t'aider.

chouette = *great*

Bonjour ... Je voudrais ... s'il vous plaît.

Oui, de quelle couleur?

...

Oui, de quelle taille?

Je mesure ...

D'accord! Voilà.

Merci. Ça coûte combien?

... francs ...

Chez toi
Mots cachés

Chaussures										
GB	2	3	4	5	6	7	8	9	10	
France	35	36	37	38	39	41	42	43	44	
Robes										
GB	8	10	12	14	16					
France	36	38	40	42	44					
Pulls										
GB	30"	32"	34"	36"	38"	40"	42"			
France	75cm	80cm	86cm	91cm	97cm	102cm	107cm			

5 *Repas-santé*

1 Ecoute et note la lettre des groupes. (1–4)
Il y a six groupes d'aliments importants:

A des oeufs   de la viande   du poisson

B du lait   du fromage

C du beurre   de la margarine

D des pâtes   des pommes de terre   du riz

E des fruits   des légumes

F de l'eau

2 Travaille avec un(e) partenaire.

a Le numéro un, qu'est-ce que c'est?

b Dans chaque groupe, qu'est-ce que tu aimes?

> Tu aimes les oeufs?   Oui, j'aime bien ça.
>
> Tu aimes le poisson?   Non, je n'aime pas ça.

3 a Décidez en groupe quels produits sont bons pour la santé et
quels produits ne sont pas bons pour la santé.

b Faites un petit guide alimentaire:

Mangez ... , c'est bon pour la santé. Ne mangez pas ...

4 Choisis le bon menu.

une portion de frites
trois biscuits au chocolat
une pomme
un cola

du pain et du beurre
du pâté
du fromage
un gâteau à la crème
de la limonade

des spaghettis à la sauce tomates
une mousse au chocolat
un jus d'orange

un oeuf
du jambon
des frites
des bonbons
un café

du poisson
des petits pois
des pommes de terre
des raisins
de l'eau

des saucisses
du riz
des crêpes
du thé

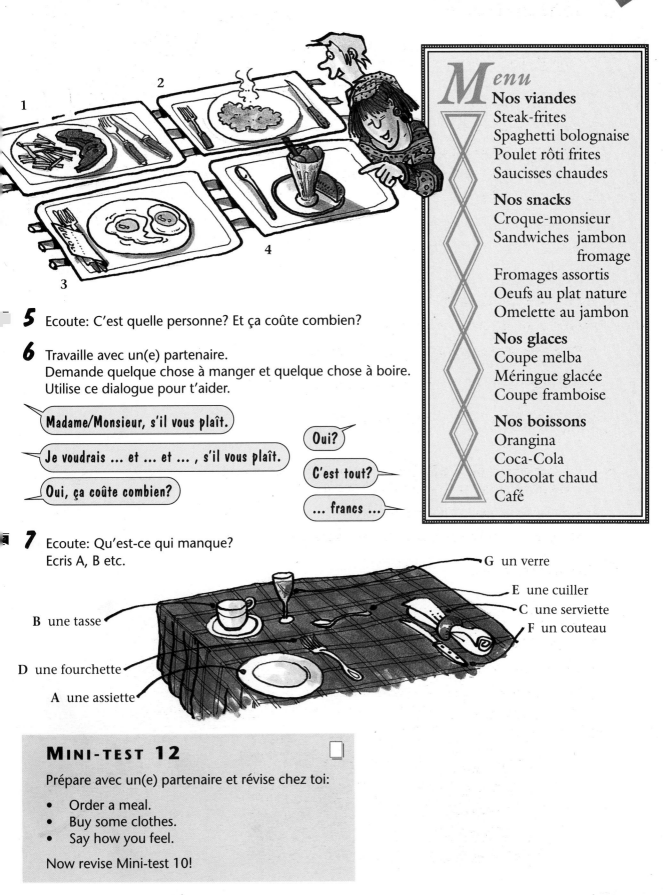

Menu

Nos viandes
Steak-frites
Spaghetti bolognaise
Poulet rôti frites
Saucisses chaudes

Nos snacks
Croque-monsieur
Sandwiches jambon
                    fromage
Fromages assortis
Oeufs au plat nature
Omelette au jambon

Nos glaces
Coupe melba
Méringue glacée
Coupe framboise

Nos boissons
Orangina
Coca-Cola
Chocolat chaud
Café

5 Ecoute: C'est quelle personne? Et ça coûte combien?

6 Travaille avec un(e) partenaire.
Demande quelque chose à manger et quelque chose à boire.
Utilise ce dialogue pour t'aider.

> Madame/Monsieur, s'il vous plaît.

> Je voudrais ... et ... et ... , s'il vous plaît.

> Oui, ça coûte combien?

> Oui?

> C'est tout?

> ... francs ...

7 Ecoute: Qu'est-ce qui manque?
Ecris A, B etc.

G un verre
E une cuiller
C une serviette
F un couteau
B une tasse
D une fourchette
A une assiette

MINI-TEST 12

Prépare avec un(e) partenaire et révise chez toi:

- Order a meal.
- Buy some clothes.
- Say how you feel.

Now revise Mini-test 10!

Récréation

Jeu-test: Qui es-tu?

1 Mon animal préféré, c'est:

A le chat
B le lapin
C le chien
D l'éléphant
E le poisson rouge.

2 J'ai la forme, quand:

A il y a du soleil
B il neige
C il y a du vent
D il pleut
E il y a du brouillard.

3 Les cadeaux que je préfère sont:

A des bonbons et des gâteaux
B des vêtements
C des disques et des cassettes
D des surprises
E des livres.

4 A la télé, je préfère:

A la publicité
B les films comiques
C les films d'aventure
D les émissions de sport
E les actualités.

5 La forme que je préfère, c'est:

A le carré
B le triangle
C le cercle
D le rectangle
E l'étoile.

6 Je préfère habiter:

A au bord de la mer
B à la montagne
C dans la forêt
D à la campagne
E en ville.

7 Ma couleur préférée, c'est:

A le bleu
B le rouge
C le jaune
D le noir
E le vert.

8 Je préfère manger:

A des frites
B des bonbons
C de la salade
D des fruits
E du fromage.

9 Mon cours préféré, c'est:

A la gym
B le français
C les maths
D l'histoire
E l'informatique.

10 Je préfère les gens qui sont:

A farfelus
B travailleurs
C sportifs
D marrants
E bavards.

Trouve deux copains/copines qui ont choisi comme toi.
Tu poses quelles questions?

Exemples: Quel animal préfères-tu?
Quel temps préfères-tu?
Où préfères-tu habiter?
Qu'est-ce que tu préfères manger?

1 Commence avec **M**: de lettre à lettre trouve six mots (parties du corps).

B	D	M	A	I
R	E	I	P	N
A	S	J	Y	E
B	M	A	E	U
E	T	E	T	X

2 Ecris une liste de tous les mots qui commencent avec la lettre **c**.

3 Travaillez en groupe: Photos mélangées
Le numéro un, c'est la tête de qui?

3

1

2

4

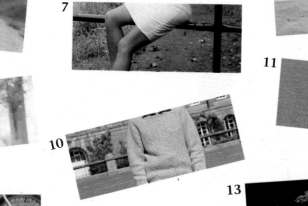

5

Pascale

6

7

8

Laurence

11

9

10

13

12

Nicolas

15

16

14

André

139

⑥ Ma vie, qu'est-ce que c'est?

Je joue.

Je dors.

Je ris.

J'apprends.

J'ai des copains
qui m'aiment.

Je pleure.

J'ai une famille qui m'aime.

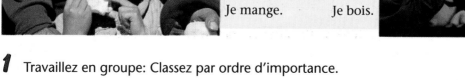

Je mange.   Je bois.

1 Travaillez en groupe: Classez par ordre d'importance.

☐ **2** Remplis les bulles.

3 **a** Choisis la bonne réponse.

b Ecoute et vérifie.

1 Comment t'appelles-tu?

2 Comment ça s'écrit?

3 Quel âge as-tu?

4 Où habites-tu?

5 Qu'est-ce que tu aimes faire?

6 Qu'est-ce que tu aimes manger?

7 Qu'est-ce que tu aimes boire?

8 Quel sport préfères-tu?

9 Combien d'heures d'entraînement fais-tu par jour?

10 Qu'est-ce que tu portes pour l'entraînement?

11 Et pour les compétitions?

12 Tu te lèves à quelle heure?

13 Tu te couches à quelle heure?

14 Qu'est-ce que tu fais le soir?

15 Et le week-end?

A Douze ans.

B A Darnétal.

C J E R O M E.

D Jérôme.

E De la limonade.

F Des frites.

G Du sport, et aussi regarder la télé.

H Quatre ou cinq heures.

I Un short et un maillot avec les couleurs de l'équipe (rouge et bleu).

J Un jogging.

K Le badminton.

L A dix heures du soir.

M Ça dépend ... J'aime aller en ville, et au stade, voir un bon match de foot.

N Je fais mes devoirs.

O A six heures du matin.

4 A ton tour! Travaille avec un(e) partenaire: Préparez et enregistrez une interview.

Chez toi

Réponds aux mêmes questions dans ton cahier.

7 Visite en France

1 Trouve les paires.

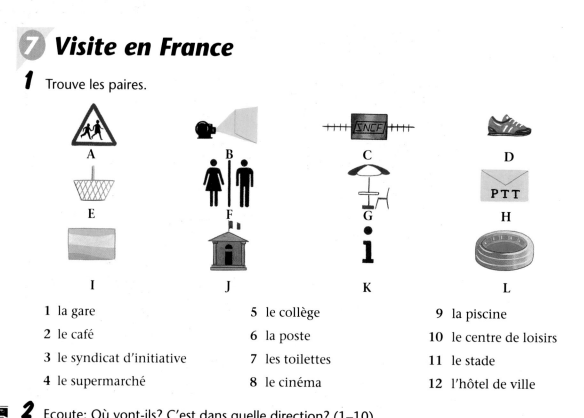

1 la gare
2 le café
3 le syndicat d'initiative
4 le supermarché

5 le collège
6 la poste
7 les toilettes
8 le cinéma

9 la piscine
10 le centre de loisirs
11 le stade
12 l'hôtel de ville

2 Ecoute: Où vont-ils? C'est dans quelle direction? (1–10)

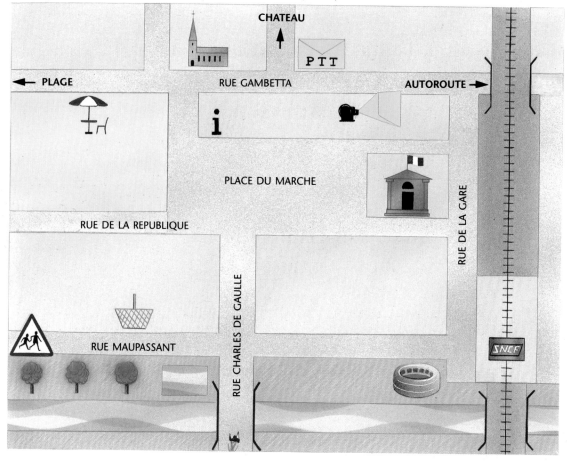

3 Travaille avec un(e) partenaire: Pardon ... Où est ...?

4 Lis: C'est quelle carte?

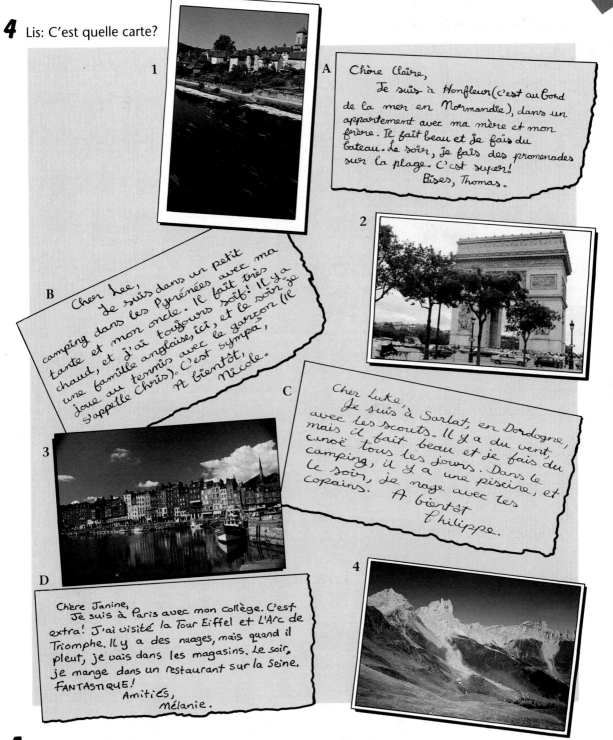

1

A
Chère Claire,
   Je suis à Honfleur (c'est au bord de la mer en Normandie), dans un appartement avec ma mère et mon frère. Il fait beau et je fais du bateau. Le soir, je fais des promenades sur la plage. C'est super!
         Bises, Thomas.

2

B
Cher Lee,
   Je suis dans un petit camping dans les Pyrénées avec ma tante et mon oncle. Il fait très chaud, et j'ai toujours soif! Il y a une famille anglaise, ici, et le soir je joue au tennis avec le garçon (il s'appelle Chris). C'est sympa,
         A bientôt,
            Nicole.

C
Cher Luke,
   Je suis à Sarlat, en Dordogne, avec les scouts. Il y a du vent, mais il fait beau et je fais du canoë tous les jours. Dans le camping, il y a une piscine, et le soir, je nage avec les copains.
         A bientôt
            Philippe.

3

D
Chère Janine,
   Je suis à Paris avec mon collège. C'est extra! J'ai visité la Tour Eiffel et L'Arc de Triomphe. Il y a des nuages, mais quand il pleut, je vais dans les magasins. Le soir, je mange dans un restaurant sur la Seine. FANTASTIQUE!
         Amitiés,
            Mélanie.

4

5 Pour chaque texte, réponds en anglais.

What is the weather like?
Where are they?
Who are they with?

What do they do in the day?
What do they do at night?

Chez toi
Tu es en France. Ecris une carte à un copain/une copine.

Récréation

Jeu de société

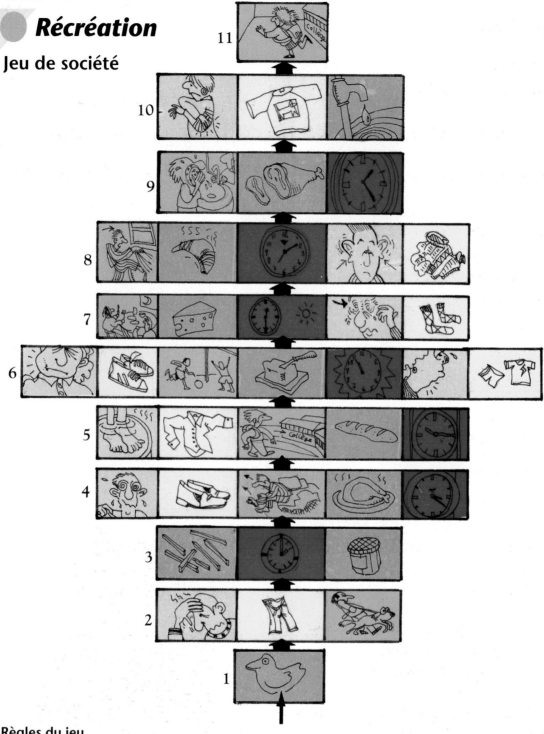

Règles du jeu

A chaque tour, tu essaies de monter d'une rangée, de 1 à 11.

- Si tu jettes un **1** : Qu'est-ce que c'est?
- Si tu jettes un **2** : Qu'est-ce que tu portes?
- Si tu jettes un **3** : Quelle heure est-il?
- Si tu jettes un **4** : Qu'est-ce que tu fais?
- Si tu jettes un **5** : Ça va?
- Si tu jettes un **6** : Dis Zut! et passe un tour!

> une rangée = *a row*

Devoir d'anglais

Composez des phrases.

1 all complaining time stop the

2 really car we your try 'd to like

3 good you a ? think would it don't idea be

Stop the time all complaining

We like'd to try your car really

Don't you would think it be a good idea

A toi! Compose des phrases.

1 pas les n'aime carottes je

2 voudrais du je fromage

3 de bleu le Marie est pantalon

4 douze ai ans j'

5 télévision du aime la sport et regarder j' faire

Prépare cinq autres phrases mélangées pour un(e) partenaire.

Lire pour le plaisir

Ecoute et lis à haute voix.

Un pour une corne
Deux pour deux mains
Trois pour trois ours
Quatre pour les quatre pattes de l'éléphant
Cinq pour les cinq doigts de la main
Six pour les six pattes d'une abeille
Sept pour les sept jours de la semaine
Huit pour les huit côtés d'un octogone
Neuf pour les neuf bougies sur le gâteau d'anniversaire
Dix pour les dix doigts de pied.

Révision

Travaille avec un(e) partenaire:
Posez les questions et répondez à tour de rôle.

1   C'est quel jour? C'est quelle date?

2   Qu'est-ce qu'il/elle porte? C'est de quelle couleur?

3   Tu aimes ...?

4   Quelle heure est-il et qu'est-ce que tu fais à ... heures?

5   Comment dit-on ... en français et comment ça s'écrit?

6   Où est ...?

7   Qu'est-ce qu'il/elle dit?

8   Tu aimes ...?

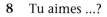

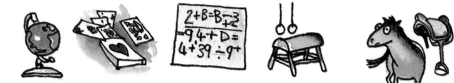

146

9 Il/Elle habite où?

10 C'est quelle pièce?

11 C'est combien?

12 Qu'est-ce que c'est?

13 C'est où exactement? (sur/sous/dans/à gauche/à droite)

14 C'est quel animal?

15 C'est quel travail?

16 C'est quel pays?

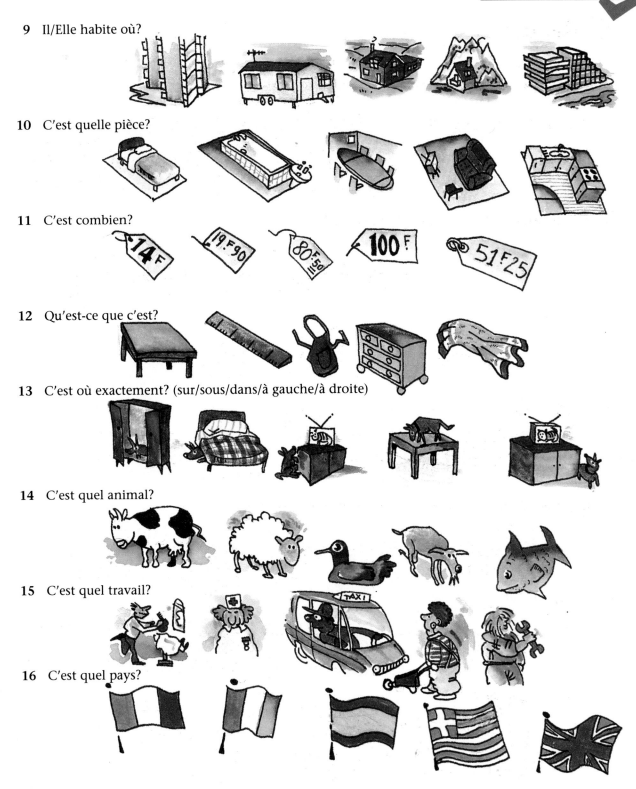

Chez toi
Ecris les réponses aux questions 1 à 4.

Bilan

I can:

1 name the parts of my body

2 say what I look like:

Je suis	assez	grand(e)/petit(e)/sympa/mince/
	très	gros(se)/bavard(e)/farfelu(e) (etc.)

J'ai les yeux bleus/gris/verts/marron (etc.)
et les cheveux longs/courts/blonds/marron/roux (etc.)

3 say what is wrong with me if I feel ill:

J'ai mal	au coeur/dos/pied
	à la tête/gorge
	aux yeux/oreilles/dents

4 order a meal:

Je voudrais ...
Avez-vous ...?
Ça coûte combien, ...?

5 say how tall I am:

Je mesure ...

6 buy clothes:

Je voudrais ...
Ça coûte combien, ...?

Contrôle révision

Expression orale: Prépare tes réponses.

You meet a French child who is on holiday in your area.
(S)he asks you

1 about yourself. Tell her/him

   a your name:
   b your age:
   c where you live:
   d what you like doing
      in your free time:

Je m'appelle ...
J'ai ... ans
J'habite ...
J'aime ...

2 about your best friend. Say

   a his/her name:
   b his/her age:
   c what (s)he looks like:

   d what (s)he is like:

Il/Elle s'appelle ...
Il/Elle a ... ans
Il/Elle est ...
Il/Elle a ...
Il/Elle est ...

3 about your school. Say
   a where you go to school:
   b when school starts:
      and when it finishes:
   c your favourite subject:
   d and what you don't like:

Je vais au collège …
On commence à …
et finit à …
J'aime …
Je n'aime pas …

4 about your home. Say
   a whether you live in a house or a flat:
   b whether it is in the town or
      in the country, etc.:
   c something about your
      own room:
   d what colour the walls are:

J'habite une maison/un appartement/
en ville/à la campagne/…

Dans ma chambre il y a …

Les murs sont …

5 about your daily routine. Say
   a what time you get up:
   b what time you go to bed:
   c how you get to school:
   d what you do in the evening:

Je me lève à …
Je me couche à …
Je vais au collège …
Je …

6 about food. Say
   a what you eat for breakfast:
   b what you eat for lunch:
   c what you eat in the evening:
   d your favourite food:

Pour le petit déjeuner je mange …
A midi je mange …
Le soir je mange …
J'adore …

7 about your hobbies. Tell her/him
   a whether you like sport:
   b which sports you prefer:
   c which TV programmes you like:
   d two of your favourite activities:

J'aime/Je n'aime pas les sports
Je préfère …
J'aime regarder …
J'aime …

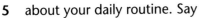

Grammar summary

Nouns

A noun is a naming word. If you can say 'a' or 'the' in front of a word, you know it's a noun.

In French all nouns are either masculine or feminine. You can tell if a word is masculine or feminine by looking at the words for 'a' and 'the'. They are:

	a	the
masculine	un	le
feminine	une	la

If you look up a noun in a dictionary, it will say:

hat *n* chapeau *m*
boy *n* garçon *m*
girl *n* fille *f*

What do you think the *n*, the *m* and the *f* stand for?

Adjectives

Adjectives are describing words. Find out if the words below are adjectives. If you can use them in front of a noun, they are adjectives. Try using them in front of 'table' or 'boy'.

big	green	runs	eats	talkative	small
to	chairs	swims	lazy	thin	under

In French all nouns are either masculine or feminine, so the adjectives have masculine and feminine forms to agree with them, and they also have plural forms.

In French adjectives usually go after the noun, except for the words **grand(e)** (big) and **petit(e)** (small):

J'ai un chat noir.
Julie a une grande trousse.
Maurice a les yeux bleus et les cheveux noirs.

Here are some adjectives with their different forms:

m	*m pl*	*f*	*f pl*
bleu	bleus	bleue	bleues
vert	verts	verte	vertes
petit	petits	petite	petites
beau	beaux	belle	belles

Prepositions

These words usually tell you where something is: the 'position' of something.

under	sous	for	pour
on/over	sur	to	à
in	dans	of	de
by (train)	en		

'to'	+	'the'			
		m	*f*	*pl*	
à		au	à la	aux	Je vais à la piscine, au stade et aux magasins.

'of'	+	'the'			
		m	*f*	*pl*	
de		du	de la	des	Je voudrais du pain, de la confiture et des oeufs.

Verbs

A verb is a 'doing' word. Which of these can you do?

run, eat, swim, jump, thin, cry, green, laugh, pancake

Verbs have many forms:

I run, he runs, we are running, they ran, I have run, he will run, he has run …

When you look up a verb in a dictionary, you have to know which part to look up. You can't look up 'runs', 'ran' or 'running'. You won't find them in the dictionary. You have to look up the infinitive: 'to run'.

In French infinitives do not have a 'to' in front of them. Instead, the verb ends with **er**, **ir** or **re**:

aimer = to like   finir = to finish   répondre = to reply

When you want to say 'I do' something, you have to use the 'I' (**je**) form of the verb:

je nage	je dors	je vais	j'aime	j'ai	je fais
je regarde	je suis	je mange	je joue	je bois	

If you want to talk about what someone else does, you will need to use the 'he' or 'she' (**il** or **elle**) form of the verb:

il/elle nage   il/elle dort   il/elle va
il/elle aime   il/elle a   il/elle fait

If you want to say 'we do' something, you will have to use the 'we' (**nous**) part of the verb:

nous jouons   nous mangeons   nous regardons   nous pouvons
nous buvons   nous aimons   nous faisons

Here are some verbs written out in full:

Infinitive: to dance

singular	*plural*
I dance	we dance
you dance	you dance
he/she dances	they dance

Infinitive: danser

singular	*plural*
je danse	nous dansons
tu danses	vous dansez
il/elle danse	ils/elles dansent

Infinitive: boire = to drink

je bois	nous buvons
tu bois	vous buvez
il/elle boit	ils/elles boivent

Infinitive: regarder = to watch

je regarde	nous regardons
tu regardes	vous regardez
il/elle regarde	ils/elles regardent

Infinitive: dormir = to sleep

je dors	nous dormons
tu dors	vous dormez
il/elle dort	ils/elles dorment

Infinitive: aller = to go

je vais	nous allons
tu vas	vous allez
il/elle va	ils/elles vont

Infinitive: être = to be

je suis	nous sommes
tu es	vous êtes
il/elle est	ils/elles sont

Infinitive: avoir = to have

j'ai	nous avons
tu as	vous avez
il/elle a	ils/elles ont

Which verbs are these from and what do they mean?

il dort	je suis	tu danses	je vais
nous allons	je regarde	vous dormez	elle va
il est	j'ai	nous avons	ils vont
nous dormons	tu es	ils regardent	vous avez
je dors	elle est	vous regardez	tu danses

Vocabulaire français–anglais

A

l' aéroport (m) – airport
les affaires de gym – gym things
quel âge as-tu? – how old are you?
j' ai – I have
j' ai douze ans – I'm twelve
les aiguilles – hands (on clock)
il/elle aime – he/she likes
j' aime – I like
aimer – to like
aimes-tu? – do you like?
l' air (m) – air
ajouter – to add
l' Algérie – Algeria
l' Allemagne – Germany
aller – to go
allez tout droit – go straight on
l' ananas (m) – pineapple
un âne – donkey
anglais(e) – English
l' Angleterre – England
un anniversaire – birthday
un an – year
les Antilles – West Indies
un appartement – flat
je m' appelle – my name is
il/elle s' appelle he/she is called
ils/elles s' appellent – they are called
j' apprends – I learn
l' après-midi (m) – afternoon
un arbre – tree
un arc-en-ciel – rainbow
une armoire – wardrobe
as de pique – ace of spades
as-tu? – do you have?
asseyez-vous – sit down
assez – quite
un athlète – athlete
l' athlétisme (m) – athletics
au – at; in; to
au revoir – goodbye
l' auberge de jeunesse (f) – youth hostel
aujourd'hui – today
aussi – also; too
l' Australie – Australia
un autobus – bus
un autocollant – sticker
en automne – in autumn
une autoroute – motorway
autour – around
autre – other

les autres – the others
avec – with
en avion – by plane
avoir – to have
nous avons – we have

B

la baignoire – bath
baissez – lower, bring down
le balcon – balcony
une balle – ball
un ballon – ball; balloon
un ballon de foot – football
la banane – banana
la banque – bank
c'est barbant – it's boring
une barbe – beard
en bas – downstairs
les baskets – trainers
un bateau – boat
un bâton de colle – stick of glue
bavard(e) – talkative
beau – nice; beautiful; handsome
le beau-père – stepfather
la Belgique – Belgium
belle – beautiful
la belle-mère – stepmother
le beurre – butter
une B.D. – cartoon strip
la bibliothèque – library
un bic – biro
une bicyclette – bicycle
le bifteck – beefsteak
la biologie – biology
un biscuit – biscuit
bizarre – strange
blanc/blanche – white
bleu(e) – blue
blonds – blond
bof! – so-so!
boire – to drink
je bois – I drink
tu bois – you drink
les boissons – drinks
il/elle boit – he/she drinks
au bord de la mer – by the sea
bonjour – hello
les bottes (f) – boots
la bouche – mouth
un(e) boucher/bouchère – butcher
bouclés – curly

la boum – party
branché(e) – switched on
une brosse à dents – toothbrush
une brosse à cheveux – hairbrush
le brouillard – fog
brun(e) – brown
un bureau – desk

C

un C.E.S. – secondary school
c'est – it is
ça va? – are you OK?
ça va bien – I'm fine
un cabinet médical – doctor's surgery
le cacao – cocoa
un cadeau (les cadeaux) – present
j'ai le cafard – I'm fed up
le café – cafe; coffee
un cahier – exercise book
une calculette – calculator
un caleçon cycliste – cycling shorts
le Cameroun – The Cameroon
la campagne – the countryside
un canard – duck
une caniche – poodle
la cantine – canteen
un car – coach
les carottes – carrots
carré(e) – square
à carreaux – checked
une cascade – waterfall
les casseroles – saucepans
une casse-tête – brain teaser
cent – a hundred
des centaines de ... – hundreds of ...
le centre de loisirs – leisure centre
un cercle – circle
les cerises – cherries
une chaise – chair
la chambre – bedroom
un champ – field
chanter – to sing
un chantier – building site
un chapeau – hat
chaque – each
chasser – to hunt
un chat – cat
châtain – brown
le château – castle

j'ai chaud – I'm hot
un chauffeur de taxi – taxi driver
une chaussette – sock
une chaussure – shoe
une chemise – shirt
je cherche – I'm looking for
un cheval – horse
les cheveux (m) – hair
une chèvre – goat
chez – at the house of
un chien – dog
une chienne – bitch
chinois(e) – Chinese
les chips – crisps
au chômage – unemployed
le chou-fleur – cauliflower
chouette! – great!
chut! – quiet!
cinq – five
cinquante – fifty
des ciseaux – scissors
un club de judo – judo club
un cochon – pig
un(e) coiffeur/coiffeuse – hairdresser
coléreux/coléreuse – irritable
une colline – hill
combien de ...? – how many ...?
une combinaison de ski – ski suit
comment ça va? – how are you?
comment es-tu? – what are you like?
comment s'appelle-t-il? ... – what is he called?
le commissariat de police – police station
une commode – chest of drawers
je comprends – I understand
le concombre – cucumber
la confiture – jam
un(e) copain/copine – friend
la corne – horn
un(e) correspondant(e) – pen-friend
la Côte d'Ivoire – Ivory Coast
à côté de – next to
le cou – neck
je me couche – I go to bed
la couleur – colour
il/elle court – he/she runs
court(e) – short
ça coûte – it costs
un couteau – knife
un crayon – pencil
la crème – cream

une crêpe – pancake
un croque-monsieur – toasted sandwich with ham and cheese
une cuiller – spoon
la cuisine – kitchen
la cuisse – thigh
la culotte – pants
le cyclisme – cycling

D

dame de trèfle – queen of clubs
le Danemark – Denmark
dans – in
il/elle danse – he/she dances
je danse – I dance
découper – to cut out
une défense – tusk
un defilé de mode – fashion show
un demi-frère – half-brother
une demi-soeur – half-sister
la dent – tooth
des – some
le dessin drawing
dessiner – to draw
deux – two
deuxième – second
les devoirs – homework
dimanche – Sunday
je dîne – I eat my evening meal
le dîner – evening meal
dix – ten
dix-huit – eighteen
dix-sept – seventeen
un(e) docteur/doctoresse – doctor
le doigt – finger
il/elle donne – he/she gives
donner – to give
donnez – give
je dors – I sleep
le dos – back
la douche – shower
Douvres – Dover
douze – twelve
le drapeau (les drapeaux) – flag
drôle – funny
du – of; some

E

l' eau – water
une écharpe – scarf
les échecs – chess
l' Ecosse – Scotland
j' écoute – I listen (to)
écouter – to listen (to)

éducation civique – civics, general studies
une église – church
un(e) électricien(ne) – electrician
un emploi du temps – timetable
un(e) employé(e) de banque – bank employee
E.M.T. – craft, design and technology
en – in
un enfant – child
énorme – enormous
un enregistrement – recording
enregistrer – to record
l' entraînement (m) – training
environ – about
envoyez – send
l' E.P.S. – physical education
es-tu? – are you?
l' escalade (f) – rock climbing
l' escrime (f) – fencing
l' Espagne – Spain
une espèce – a kind of ...; species
les étagères – shelves
les Etats-Unis – United States
en été – in summer
une étoile – a star
c'est extra! – it's brilliant!

F

la fabrication – production
la fabrique – factory
j'ai faim – I'm hungry
faire – to do, to make
faire des bêtises – to do silly things
faire des courses – to do the shopping
faire des promenades – to go for walks
je fais – I do, I make
tu fais – you do, you make
il/elle fait – he/she does, he/she makes
il fait beau – it's nice (weather)
il fait chaud – it's hot
il fait froid – it's cold
il fait gris – it's overcast
faites – make
la famille – family
une femme/homme d'affaires – businesswoman/ man
la fenêtre – window
une ferme – a farm

153

la fesse – buttock
une feuille – leaf
un feuilleton – serial
un feutre – felt-tip pen
une fille – girl; daughter
fille unique – only daughter
un fils – son
fils unique – only son
une fleur – flower
un flic – policeman (slang)
une forêt – forest
j'ai la forme – I'm on form
la fourchette – fork
la fraise – strawberry
la framboise – raspberry
français(e) – French
la France – France
un frère – brother
frisés – curly
les frites – chips
j'ai froid – I'm cold
le fromage – cheese
les fruits – fruit
la fusée – rocket

G

le Gabon – Gabon
galoper – to gallop
le gant – glove
un gant de toilette – flannel/wash glove
le garage – garage
la gare – railway station
le gâteau – cake
il gèle – it's freezing
la géographie – geography
la girafe – giraffe
une gomme – eraser
la gorge – throat
gourmand(e) – greedy
le goûter – tea
grand(e) – big/tall
la grand-mère – grandmother
le grand-père – grandfather
les grands-parents – grandparents
la Grèce – Greece
gris(e) – grey
gris-verts – grey-green
gros(se) – fat

H

les habitants – inhabitants
j' habite – I live
habiter – to live
où habites-tu? – where do you live?
nous habitons – we live

les haricots verts – French beans
en haut – upstairs
l' herbe (f) – grass
quelle heure est-il? – what time is it?
il est ... heures – it's ... o'clock
l' histoire (f) – history
en hiver – in winter
le hockey – hockey
l' hôpital (m) – hospital
l' hôtel de ville (m) – townhall
huit – eight

I

ici – here
il y a – there is/are
il y a combien de ...? – how many ... are there?
un immeuble – block of flats
un(e) infirmier/infirmière – nurse
un(e) informaticien(ne) – computer programmer
l' informatique (f) – computer studies
un ingénieur – engineer

J

le jambon – ham
le Japon – Japan
le jardin – garden
le jardin public – park
jaune – yellow
je – I
un jeu – game
jeudi – Thursday
un jogging – tracksuit
jouer – to play
jour – day
un(e) journaliste – journalist
une journée – day
une jupe – skirt
le jus d'orange – orange juice

L

la – the
un lac – lake
le lait – milk
la lampe – lamp
la langue – tongue; language
un lapin – rabbit
le lavabo – basin
je me lave – I get washed
se laver – to get washed
le – the
une leçon – lesson
les légumes – vegetables

les – the
je me lève – I get up
se lever – to get up
tu te lèves – you get up
levez-vous – stand up
une librairie – bookshop
la limonade – lemonade
un lion – lion
lire – to read
un lit – bed
un litre d'eau – a litre of water
un livre – book
Londres – London
long(ue) – long
lourd – heavy
lundi – Monday
la lune – moon
les lunettes de soleil – sunglasses

M

ma – my
une machine à traitement de textes – word processor
Madame – Mrs
Mademoiselle – Miss
un magasin – shop
un maillot – sports shirt
un maillot de bain – swimming costume/trunks
la main – hand
mais – but
une maison – house
j'ai mal à ... – my ... hurts
maladroit(e) – clumsy
la Manche – the English Channel
je mange – I eat
manger – to eat
tu manges – you eat
mardi – Tuesday
le Maroc – Morocco
c'est marrant – it's funny
marron – brown
un match de foot – football match
les mathématiques – mathematics
les maths – maths
le matin – morning
un(e) mécanicien(ne) – mechanic
mélangé(e) – jumbled
mercredi – Wednesday
la mère – mother
mes – my
la météo – weather forecast
je mets – I put; I put on

tu mets – you put; you put on
mettre – to put; to put on
midi – midday
mi-longs – mid-length
mince – slim
une mini-jupe – mini-skirt
minuit – midnight
minuscule – very small
une minute – minute
c'est moche – it's revolting
moins – less
moins vingt-cinq – twenty-five to
un mois – month
mon – my
le monde – world
Monsieur – Mr
la montagne – mountain(s)
montagneux – mountainous
la montre – watch
un mot – word
la mousse au chocolat – chocolate mousse
la moustache – moustache
un mouton – sheep
les mûres – blackberries
le mur – wall
musclé(e) – muscular
la musique – music

N

nager – to swim
la natation – swimming
la nature – nature
la neige – snow
neuf/neuve – new
ni ... ni ... – neither ... nor
le Niger – The Niger
noir(e) – black
un nom – name
nous – we
la Nouvelle-Calédonie – New Caledonia
la Nouvelle-Zélande – New Zealand
un nuage – cloud
la nuit – night
c'est nul – it's rubbish
un numéro – number

O

un oeil – eye
l' oignon (m) – onion
un oiseau – bird
onze – eleven
un ordinateur – computer
une oreille – ear
un os – bone

ou – or
où – where
ils oublient – they forget
oublier – to forget
un ours en peluche – teddy bear
un(e) ouvrier/ouvrière – labourer

P

le pain – bread
le pantalon – trousers
un paquet de – a packet of
par – by; through; with
paresseux/paresseuse – lazy
je partage – I share
partager – to share
pas d'accord – don't agree
pas mal – not bad
le passeport – passport
les pâtes – pasta
le patin à glace – ice skating
le patin à roulettes – roller skating
la patte – paw
le pays – country
les Pays-Bas – Holland
le Pays de Galles – Wales
la pêche – peach
le peigne – comb
la pendule – clock
pénible – a pain
le père – father
petit(e) – small
le petit déjeuner – breakfast
les petits pois – peas
un peu – a little
je peux? – may I?
la physique – physics
une pièce – room
le pied – foot
la piscine – swimming pool
la place – square
un plan de – a plan of
la planche à voile – windsurfing
les planètes – planets
une plante – plant
je pleure – I cry
pliez – bend
plus – more
le poids – weight
les poils – fur
une poire – pear
à pois – spotted
le poisson – fish
le poissons rouge – goldfish
une pomme – apple
les pommes de terre – potatoes
le pont – bridge
je porte – I wear

porter – to wear
tu portes – you wear
la poste – post office
une poule – hen
un poulet – chicken
vous pouvez – you can
premier/première – first
je prends – I take
prenez – take
près de – near
au printemps – in spring
un(e) professeur – teacher
une promenade – walk
promener le chien – to walk the dog
ça pue – it smells
un pull – pullover

Q

quand – when
quarante – forty
moins le quart – quarter to
et quart – quarter past
quatorze – fourteen
quatre – four
quatre-vingts – eighty
quatre-vingt-dix – ninety
quel(le) – what; which
quelle heure est-il? – what time is it?
quelle sorte de ...? – what sort of ...?
qu'est-ce que c'est? – what is it?
qu'est-ce que tu aimes? – what do you like?
la queue – tail
quinze – fifteen

R

raides – straight
les raisins – grapes
rangez – put away
une raquette – racquet; bat
à rayures – striped
des recherches – research
recopie – copy out
la récréation – break
regarder – to watch; look at
une règle – ruler
remplace – replace
je rentre à la maison – I go home
rentrer – to go back
le repas – meal
ressembler – to look like
le rhinocéros – rhinoceros
le rhum – rum
les rideaux (m) – curtains

je ris – I laugh
la rivière – river
le riz – rice
une robe – dress
le robinet – tap
roi de carreau – king of diamonds
un roman policier – detective novel
rouge – red
roux – red (hair)
le Royaume-Uni – United Kingdom
la rue – street; road
russe – Russian

S

sa – his; her; its
le sac – bag
je sais – I know
je ne sais pas – I don't know
la salade – lettuce; salad
la salle – room; hall
la salle à manger – dining room
la salle de bains – bathroom
le salon – living room
le salon de coiffure – hairdresser's
une salopette – dungarees
salut – hello
samedi – Saturday
la saucisse – sausage
le savon – soap
seize – sixteen
sept – seven
un serpent – snake
une serviette – towel
ses – his; her; its
six – six
une soeur – sister
j'ai soif – I'm thirsty
le soir – evening
soixante – sixty
soixante-dix – seventy
le soleil – sun
nous sommes – we are
son – his; her; its
un sondage – survey
ils/elles sont – they are
je sors – I go out

sortir – to go out
une souris – mouse
sous – under
la squelette – skeleton
le stade – stadium
une station spatiale – space station
un stylo – pen
je suis – I am
la Suisse – Switzerland
sur – on
un sweat – sweatshirt
le syndicat d'initiative – tourist information centre

T

ta – your
une table – table
un tablier – apron
un taille-crayon – pencil sharpener
la taille – size
taisez-vous – be quiet
le tapis – carpet
la tête – head
le temps – time
la terre – earth
le thé – tea
timide – timid
le tir à l'arc – archery
la toise – height chart
la tomate – tomato
ton – your
une tortue – tortoise
touchez – touch
toujours – always
tournez – turn
tout(e) – all
en train – by train
je travaille – I work
travailler – to work
travailleur/euse – hardworking
traversez – cross
treize – thirteen
trente – thirty
très – very
trois – three
troisième – third
la trottinette – scooter
une trousse – pencil case

une trousse de toilette – toilet bag
je trouve – I find
un truc – thing
tu – you
un tube de dentifrice – a tube of toothpaste

U

un – one; a
une – a
l' uniforme (m) – uniform
une usine – factory
utiliser – to use

V

il/elle va – he/she goes
une vache – cow
une vague – wave
je vais – I go
valet de coeur – jack of hearts
un vélo – bicycle
un(e) vendeur/euse – salesperson
vendredi – Friday
le vent – wind
un verre – glass
les verres de contact – contact lenses
vert(e) – green
une veste – jacket
un vêtement – item of clothing
la viande – meat
une ville – town
vingt – twenty
la voile – sailing
une voiture – car
je voudrais – I would like

W

les waters - toilet

Y

le yaourt - yoghurt
les yeux - eyes

Z

un zèbre - zebra

Vocabulaire anglais–français

This short list of important words and phrases will help you with writing activities.
You will find it useful when writing letters and postcards.

after – après
afternoon – l'après-midi
all – tout(e), tous
animal – un animal/les animaux
they are – ils/elles sont
you are – tu es
are you? – es-tu?

bed – un lit
bedroom – une chambre
big – grand(e)
birthday – un anniversaire
blue – bleu(e)
blond – blond(s)
book – un livre
boy – un garçon
breakfast – le petit déjeuner
brother – un frère
brown – marron, brun, châtain (hair)
it's boring – c'est ennuyeux
by bike – en vélo

I'm called – je m'appelle
what is he called? – il s'appelle comment?
they are called – ils/elles s'appellent
by car – en voiture
it's cold (weather) – il fait froid

dear – cher/chère

in the evening – le soir

favourite – préféré(e)
friend – un copain/une copine

I have – j'ai
I don't have – je n'ai pas de
do you have? – as-tu?
he – il
her/his – son, sa, ses
I do my homework – je fais mes devoirs
house – une maison

I like – j'aime
do you like? – aimes-tu?
I like playing ping-pong – j'aime jouer au ping-pong

I like ice-skating – j'aime faire du patin à glace
I don't like ... – je n'aime pas ...
I love ... – j'adore ...

cat – un chat
chair – une chaise
by coach – en car
on the coast – au bord de la mer
computer – un ordinateur
in the country – à la campagne
curly – frisés

dog – un chien
door – une porte
I drink – je bois

I eat – je mange
English – anglais(e)
England – l'Angleterre

father – le père
step-father – le beau-père
fish – un poisson
flat – un appartement
France – la France
French – français(e)

garden – le jardin
I get up – je me lève
girl – une fille
to go – aller
I go to bed – je me couche
I go home – je rentre
I go out – je sors
it's great! – c'est chouette!
grandfather – le grand-père
grandmother – la grand-mère

I hate – je déteste
do you have? – as-tu?
we have – nous avons
in the holidays – pendant les vacances
at home – chez moi
horse – un cheval
it's hot – il fait chaud
how are you? – comment ça va?
how many ... ? – combien de ...?

I'm ill – je suis malade
in – dans

letter – une lettre
I would like – je voudrais
I listen to – j'écoute
I live – j'habite
we live – nous habitons
living room – le salon
long – long(ue)
love from – amitiés

morning – le matin
mother – la mère
Mr – Monsieur
Mrs – Madame
Miss – Mademoiselle
my – mon, ma, mes

near – près de
it's nice (weather) – il fait beau
she's nice – elle est sympa

on – sur
how old are you? – quel âge as-tu?
I'm 12 years old – j'ai douze ans

parents – les parents
penfriend – un(e) correspondant(e)
to play – jouer
we play – nous jouons
postcard – une carte postale

quite – assez

rabbit – un lapin
it's raining – il pleut

school – le collège
she – elle
short – court(e)
sister – une soeur
skirt – la jupe
small – petit(e)
it's snowing – il neige
step-mother – la belle-mère
straight – raide
swimming – la natation

thank you – merci
their – leur(s)
there are – il y a
there is – il y a

they – ils/elles
teacher – le/la professeur
today – aujourd'hui
tomorrow – demain
town – la ville
trainers – les baskets
trousers – le pantalon

under – sous

very – très

village – le village

we – nous
I wear – je porte
weekend – le week-end
what do you like? –
    qu'est-ce que tu
    aimes?
what's the weather like?
    – quel temps fait-
    il?

when? – quand?
where? – où?
who – qui
window – la fenêtre
with – avec
without – sans
to write – écrire

quite – assez

your – ton, ta, tes

Les instructions

A ton tour — Your turn

Attention à la prononciation — Take care with pronunciation

C'est quel nombre? — Which number is it?

Cherche l'intrus — Find the odd one out

Chez toi — At home

Complète les bulles — Complete the bubbles

Complète les phrases — Complete the sentences

Dans ton cahier — In your exercise book

Devine — Guess

Donne — Give

Dos à dos — Back to back

Ecoute et écris — Listen and write

Ecoute et lis — Listen and read

Ecoute et répète — Listen and repeat

Ecoute et vérifie — Listen and check

Écris une liste — Write a list

Enregistrez sur cassette — Record on cassette

Explique-la à un copain/une copine — Explain it to a friend

Fais un sondage — Carry out a survey

Ferme le livre — Close the book

Il y a combien de ...? — How many ... are there?

Lis à haute voix — Read aloud

Mets les ... dans le bon ordre — Put the ... in the right order

Quelle couleur manque? — What colour is missing?

Regarde ... — Look at ...

Remplis la grille — Fill in the grid

Remplis les blancs — Fill in the gaps

Travaille avec un(e) partenaire — Work with a partner

Travaillez en groupe — Work in groups

Trouve les différences — Find the differences

Trouve les paires — Find the pairs

Trouve quelqu'un qui ... — Find someone who ...

Utilise cette grille pour t'aider — Use this grid to help you

Vrai ou faux? — True or false?

How to ask for help

I don't understand — Je ne comprends pas

Can you say that again please? — Répétez, s'il vous plaît

How do you say 'dog' in French? — Comment dit-on 'dog' en français?

How do you spell it? — Comment ça s'écrit?

Acknowledgements

The authors would like to thank Jacques Debussy, Françoise Queinnec, Nathalie Barrabé, the pupils of Collège Rousseau, Darnétal and the pupils of the Atelier Théâtre, Rouen, for their help in the making of this course.

The authors and publishers would like to thank the following for permission to reproduce copyright material: **La Chemise Lacoste, Citroën UK Ltd, Le Creuset** and **Renault UK Ltd** for logos, **HP Bulmer Drinks Ltd** for Orangina advertisement, **Pingouin** and **Marks and Spencer plc** for labels p.13; **France-Loisirs** for catalogue extracts p.31; © **Dargaud Bénélux SA**, © SPRL Jean Roba for *Boule et Bill: Bonjour!* p.37, *Le jour du bain du chien* p.109, *Bon appétit* p.132 and *Bill et gym* p.133; © **VMS Publications** for *Pif et Hercule: Batman* pp.60–1; **Bayard Presse Internationale** for *Touffu: Le complexe* p.85; **Coop de Normandie** for Maxicoop advertisement p.120.

Photographs were provided by: **Barnabys Picture Library** p.47 Espagne (R. Coultas), Italie, Pays-Bas (A. Cooper), Portugal (O.-J. Troisfontaines), UK (K.J. Eddy); p.139 André, Pascale, Nicolas (Alan Gale); **Claude Bousquet** p.16 nos 1, 5, 10; p.42 Nadine, Suzanne, André; p.50; p.86 nos 1, 9, 10, 12, 14; p.118 goûter; p.119 déjeuner; © **Campagne Campagne** p.16 nos 2 (C. Moirenc), 6 (Darman), 7 (Renaud-Haution); p.32 Berlin (Adam); p.45 (Mouchy); p.80 Jérôme (Odaix), Paul (N.Lejeune), Thomas (Mouchy), David (Mouchy); p.95 (De Poligny); p.96 montagne (Peres), lac (Gemo), champs (B. Lightstein); p.119 dîner (Canigher), p.122 (Enjelvin); p.140 je joue (Gouilloux), je dors (Allombert), je ris (Rafik), j'apprends (Gouilloux), je pleure (Vongherra), famille (Merle), je mange (Peres), je bois (Rafik); p.143 nos 1 (Colomb), 3 (Saudade), 4 (Leguen); **The J. Allan Cash Photolibrary** p.8 Martinique; p.33 Madrid; p.47 Allemagne, France; p.140 copains; **Jacques Debussy** pp.44 & 67 Céline; p.78 Simon; p.79 Valérie; **Douglas Dickins** p.104 nos 2 & A, 3 & B, 4 & E, 5 & C; **Sally and Richard Greenhill** pp.8–9 Côte d'Ivoire (also p.101), Algérie, Cameroun, Tunisie, Guadeloupe; p.32 Bruxelles, Londres, Rome, Athènes; p.42 Pierre, Grégoire; **Robert Harding Picture Library** pp.8–9 Belgique, Congo, Sénégal (Bob Whitrow); p.32 Paris (Lee Frost); p.47 Danemark (Lee Frost), Grèce (Kodak), Irlande (Lee Frost), Luxembourg (Kodak); p.139 Laurence; **Office Départemental du Tourisme de la Manche** p.96; **Madeleine Shillito** p.99; © **Tony Stone Photolibrary – London** p.32 Dublin (Rick Rusing); **The Telegraph Colour Library** p.104 nos 1 & D, 6 & F.